豊かに成功する
ホ・オポノポノ

愛と感謝のパワーがもたらす
ビジネスの大転換

イハレアカラ・ヒューレン
インタビュー　河合政実

I'm sorry.

Please forgive me.

Thank you.

I love you.

はじめに

この本でご紹介するのは、真の意味で「生命《いのち》を生かす（本当の自分を生きるための）ビジネス」とは何か、そしてその実際のあり方です。生命《いのち》を生かすビジネスは、金銭的、物質的な豊かさだけを求めるビジネスとは大きくかけはなれています。総合的な豊かさ、すなわちスピリチュアル、メンタル（精神的）、身体的、金銭的、物質的な豊かさをすべて含んだ富をもたらすものであり、理解を超える豊かさにつながるビジネスです。

この本を通してお伝えしたい最も大切なメッセージは、自由になり、解放されることです。つまり、ブッダやイエス・キリストが苦と見なしたものから自由になることであり、苦しみから解放されて総合的な豊かさを経験する方向にシフトすることです。総合的な豊かさを手にするとは、あなたとあなたの家族、あなたが愛する人々を十分支えられるだけの金銭的・物質的資源を創り出し、すべての人やすべてのものとのつながりを生み出し、そのつながりによってあなたの魂とすべての人の魂が切に求めている自由を実現し昇華させることです。そしてまた、人生がこのように満たされることによって、あなたは大きな喜びを自分とほかの人々の魂に与えることができるのです。

何度も言いますが、この本は金銭的な富を得る方法のみに焦点をあててはいません。むしろ、金銭的な豊かさよりも、生命《いのち》を生かす仕事、ビジネスというものがどんなものであるか、スピリチュアル、精神的、身体的、金銭的、物質的に実体験するために、どうやってあなた自身がすっかり解放され、自由になるかということに焦点をあてています。

この本では生命《いのち》を生かすビジネスについて、四つの大切な質問を投げかけています。

①わたしは何者か
②わたしの人生の目的は何か
③スピリチュアル、精神的、身体的、金銭的、物質的にわたしが悩み、苦しんでいる問題はなぜ、何が原因で起きているのか
④この悩み、苦しみをどうやって解決すればいいか。どうやって本当の自由を得ることができるか。つまりスピリチュアル、精神的、身体的、金銭的、物質的に自由で解放された状態にどうしたらなれるのか

この本を通して、あなたは四つの問いに対し本質的な答えを出せるようになります。

この本と出会ってください。そして、理解を超えるほどの深く豊かな平和が、あなたにもたらされますように。

イハレアカラ・ヒューレン博士

豊かに成功するホ・オポノポノ◎目次

第4章

ホ・オポノポノが提示するビジネスの大転換

第3章 ホ・オポノポノの言葉 Q&A

第7章 ホ・オポノポノがあなたの人生と世界を癒す 193

付録I クリーニング実践編 226

第1章

ビジネス界に起こるホ・オポノポノ現象

I'm sorry.

すべての問題を解決するホ・オポノポノ

今、ホ・オポノポノに熱い注目が集まっています。

皆さん、ホ・オポノポノはご存じでしょうか?

ホ・オポノポノは、もともとネイティブ・ハワイアンに伝わる伝統的な問題解決技法のことを指しています。

この古くからハワイに伝わるホ・オポノポノをもとに、ハワイの伝統医療の専門家で「ハワイの人間州宝」でもある故モナ・ナラマク・シメオナ女史(1913〜1992年)が、独自のインスピレーションに基づいて、現代社会で活用できるよう新しく発展させたものが「セルフ・アイデンティティ・ホ・オポノポノ(Self Identity Through Ho'oponopono:SITH)」です。

「ホ・オポノポノ(SITH)」は、伝統的な「ホ・オポノポノ」とは根本的に異なる点がいくつかあります。

その一つが問題解決のプロセスについてです。「ホ・オポノポノ(SITH)」が個人一人で問題解決を行うのに対して、伝統的な「ホ・オポノポノ」ではグループで行うことに

Thank you.

なっています。

さらには「ホ・オポノポノ（ＳＩＴＨ）」では、個人一人ひとりが「神聖なる存在(Divinity)」といつでも直接つながって、「神聖なる存在(Divinity)」からインスピレーションがやってくるとする点が最大の違いといっていいでしょう。

「ホ・オポノポノ（ＳＩＴＨ。以下、ＳＩＴＨは省略）」は、多様な文化的・社会的背景からなる南北アメリカや欧州で実践され、さまざまな国際会議、高等教育の場へも紹介されてきました。国連、ユネスコ、ＷＨＯ（世界保健機関）、ハワイ大学などで実践・紹介されたのがその例です。

さらには、哲学者や思想家のみならず、ビジネスの新しい手法として経済界にも大きな影響を与えるようになっています。

「引き寄せの法則」を広く世に知らせることとなったＤＶＤ『ザ・シークレット』のメイン出演者であるジョー・ヴィターリ氏が、ホ・オポノポノを「今や引き寄せの法則をはるかに超えるもの」と絶賛していますし、日本では船井総合研究所の創始者で、経営コンサルタント、作家、思想家として各方面に多大な影響を与えている船井幸雄氏が「究極の人間正常化ノウハウ」と絶賛しています。

おかげさまで、日本でも「ホ・オポノポノ(Ho'oponopono)」という言葉が多くの人に知られるようになってきました。ちなみに「ホ・オポノポノ(Ho'oponopono)」の「ホ・オ(Ho'o)」は「目標」、「ポノポノ(ponopono)」は「完璧《ぺき》」ということです。つまり「ホ・オポノポノ」には、「目標を完璧にする」という意味があるのです。

ホ・オポノポノの考え方は、非常にシンプルです。

ホ・オポノポノでは世の中に起こる問題は、「潜在意識のなかの情報（過去の記憶）の再生」と考えます。

ですから、皆さんが悩みや病気を抱えていたり、借金で苦しんでいたり、会社のことで悩んでいたりするのならば、それは「過去の記憶」のせいなのです。しかも過去の記憶には自分自身だけの記憶でなく、宇宙誕生から今日までのすべての生命の記憶が含まれています。

しかし、救いもあります。それは自分の潜在意識にある情報を修正することによって問題を解決することができるからです。しかも、他人に起こる問題も、「他人の問題」を体験している自分自身の情報を修正することによって、解決することができるのです。

問題を解決するための方法も非常にシンプルです。「ごめんなさい(I'm sorry.)」「許してください（Please forgive me.）」「ありがとう（Thank you.）」「愛しています（I love you.）」の四つの言葉をただ繰り返して言うだけで、すべての問題を解決することができます。この言葉によって、わたしたちの潜在意識のなかにある情報は清められ、「ゼロ（空）」の状態に限りなく近づいていくのです。

ここでいう「ゼロ」の状態とは、「ビッグバン以前の宇宙の始まりの状態」のことを指しています。まだ何もない状態ですから、不完全なことは何一つありません。つまり、すべてが完璧な状態にあるのが「ゼロ」の状態なのです。

このようなホ・オポノポノの考え方は、何も新しい考えではありません。

ブッダが２５００年前に悟った般若心経にある「色即是空、空即是色」の考え方や、イエス・キリストが「汝の敵を愛しなさい」と言った教えと同じものなのです。

すなわち、すべての原因は自分の「外」にあるのではなく、自分の潜在意識の「なか」にあるのです。わたしたちの潜在意識のなかの情報に感謝して愛することによって、その情報を消去することができるのです。

わたしは、１９９２年に亡くなったモナ・ナラマク・シメオナ女史の跡を継ぎ、ホ・オポノポノの普及に努めてきました。世界中を旅して、各国でホ・オポノポノのセミナーを開催しています。そして、セミナーを開催するだけでなく、その国の人々や土地などが抱えるさまざまな情報の消去（デリート）も同時に行っています。

ここ数年、わたしが日本に何度も足を運んでいるのは、わたし自身のクリーニングが必要であるためだけでなく、実は日本人には世界で果たすべき大きな役割があり、その重要性に早く目覚めてほしいと思うからなのです。

時代が求めるホ・オポノポノ・ビジネス

本書は、**このホ・オポノポノの考え方をビジネスに適用することによって、効率的な組織と最大限の利益が得られる**、というものです。

ホ・オポノポノは「ごめんなさい」「許してください」「ありがとう」「愛しています」という四つの言葉を唱え、この実践で奇跡的なことが起こり、たくさんの癒しを経験するための方法として受け取られているようです。

そのため、「ホ・オポノポノとビジネス」というと、何か相いれないもののように思う方がいるかもしれません。実際、日本で最初にホ・オポノポノのビジネスクラスを開催するときに「どうしてホ・オポノポノのビジネスクラスをやるのか」という戸惑いの声が何度もあったと聞きました。

また、左脳的な論理でビジネスを行っている方々にとっては、ビジネスという場面で「ごめんなさい」「許してください」「ありがとう」「愛しています」という言葉を言うことに違和感を覚えるかもしれません。

ですが、あなたは本書を手にとっています。

これまでと違う「何か」がビジネスに必要とされている……という漠然とした予感があるから、本書に興味を持ったのでしょう。

そしてその予感は正しいのです。

世界中が経済危機に陥っている今ほど、ホ・オポノポノの方法がビジネスに必要とされているときはないとわたしは感じます。ホ・オポノポノこそ、ビジネスを最大限に効率よく運営し、最大限の利益を生み出す方法なのだと強調したいのです。

逆説的に聞こえるかもしれませんが、**ホ・オポノポノによるビジネスの最大の特徴は**

「成功しようと期待しない」ということにあります。

ホ・オポノポノのプロセスは、わたしたちをゼロの状態＝本来の自分に戻してくれるプロセスです。億万長者になることが本来の自分である人は億万長者になるでしょうし、ピアノを調律して満足を感じることが本来の自分である人は、ピアノの調律師になるでしょう。

シェイクスピアは「自分自身に正直であれ」と言っています。イエス・キリストは「自分のなかの王国を探しなさい」と言っています。ソクラテスは「汝自身を知りなさい」と言っています。ホ・オポノポノも同じことを言っているのです。

ホ・オポノポノが成功を求めないのは、もともと人はみな成功している＝完璧な状態であると考えているからです。ホ・オポノポノは、成功していて完璧な「本来の自分」に戻るための方法なのです。

ではなぜ、ホ・オポノポノがビジネスを最大限に効率よく運営し、最大限の利益を生み出す方法になるのでしょうか？

ホ・オポノポノでは「自分が自分らしくある」ことを重視しています。つまり「そのもの本来の力」に焦点を置いているのです。

そもそも人は生まれながらに完璧な存在であり、「神聖なる存在（Divinity）」から光がいつも直接届いています。「悟っている」ことを英語ではenlightenedと言いますが、悟りとは文字どおり「光が届いている」ということなのです。つまり、人間はもともと悟った存在なのです。

この光がインスピレーションであり、人は悟った状態にあればいつでも光が届いていて、インスピレーションを受け取ることができます。

インスピレーションは人それぞれであり、一つとして同じものはありません。だから、人の役割や長所も一つとして同じものはありません。人はユニークな存在なのです。

このインスピレーションに基づいて人が行動するとき、その人は自分の役割を全うしています。つまり、本来的に持っている才能を最大限に生かしているのです。

エゴを捨て去り、光の届いている悟りの状態という人の本来的なあり方でインスピレーションを受け取るとき、人は最も自分らしくあるのです。

一方、会社の組織を考えたとき、ホ・オポノポノを実践してインスピレーションに基づいて行動することによって、すべては最適な状態になっていきます。

光、インスピレーションと記憶

その仕事に合わない人はほかの部署に異動になったり、会社を辞めたりします。そして、その空いたポストに最適な人がやってきて、職場の人員配置が自然に最適化されます。あるいはうれしい誤算が起きたりします。「仕事ができない」と勝手に決めつけていた人が、突然パワフルなプロとして現れてきたりするのです。

これほど強い組織、これほど能力が発揮される職場環境はないはずです。

こうして考えると、会社自体にもあたかも人格が存在するかのように感じられます。

実は、会社というのは概念や謄本で成り立っているものではなく、一つの存在として意識を持っていると考えることもできるのです。ですから、会社の業績が不振ならば、会社自身が苦しみもするのです。

逆に、**会社自体がセルフ・アイデンティティに目覚めて、わたしたちが邪魔をしなければ、会社自体が注文をとってきてくれたり、売上を伸ばしてくれたりする**のです。

わたしたちは、物事がうまく運ばないとすぐに自分の「外」に問題があると思いがちです。しかし、すべての問題の原因は、会社がうまくいかないことも含めて、自分の潜在意識の「なか」の情報に原因があるのです。

スタッフが悪いのではありません。マネージャーが悪いわけでもありません。経営者でも、取引先でも、業界でもありません。ましてや会社のせいでもないのです。

一つの生命体として自分の会社を大切に愛してあげれば、「企業本来の力が最大限に発揮できる」ように、その目的＝利益を出すために会社が自ら動いてくれるのです。

●「誰もが」「自分だけで」「簡単に」

ホ・オポノポノは、「誰もが」「自分だけで」「簡単に」実践することができる問題解決法です。

問題解決法は数多く存在しますが、ホ・オポノポノほどシンプルでわかりやすいメソッドはないと信じています。だからこそ、アメリカ、ヨーロッパ、日本をはじめとする世界中で急速に広まっているのです。

わたしは、セミナーで参加者が似たような質問を繰り返すと「あなたはどう思いますか？」と、逆に質問をするようにしています。

実は、ホ・オポノポノでは、「誰もが」自分を通じて「神聖なる存在（Divinity）」に直接つながることができるので、わざわざわたしに尋ねる必要がないのです。宗教ではありませんので、難しい教義も経典もありませんし、教祖やグルもいません。だから「あなたはどう思いますか？」という質問をわたしは参加者にしているのです。

ホ・オポノポノでは、わたしたちの潜在意識のなかの情報（過去の記憶）が、わたしたちの人生に問題を起こしていると考えます。

ホ・オポノポノでいう潜在意識とは、「宇宙の誕生から今日まですべての生命体が経験した記憶を持っている意識そのもの」のことを指します。単に自分が生まれてから今日までの過去の自分の記憶のことだけをいっているのではありません。

ですから、その問題の原因となっている情報を消去してしまえば、「誰もが」すべての問題を解決することができるのです。

ホ・オポノポノの最もユニークな点の一つは、**他人に起きている問題についても、それを消去することが可能**であるということです。これは、おそらくほかの問題解決法にはない、大きな特徴だと思います。

ホ・オポノポノでは、自分の潜在意識のなかにある情報は、他人と情報を共有していると考えます。その共有している潜在意識のなかの情報をクリーニングすることによって、他人の情報も同時に消去できると考えるのです。なぜこれが可能なのか、あとで詳しく説明します。

このように、他人に起きている問題についても、それを体験する自分の潜在意識のなかに共有されている情報を消去（デリート）することによって、他人の情報も消去（デリート）できるとホ・オポノポノでは考えます。すなわち、「自分だけで」問題を解決することができるのです。

では、問題を消去（デリート）するためには、どのようなことをする必要があるのでしょうか？　何か特別なことをしなくてはならないのでしょうか？

ここがまた、ホ・オポノポノのすごいところなのです。ホ・オポノポノのクリーニングの方法は実にシンプルです。

クリーニングするために必要なのは「ごめんなさい」「許してください」「ありがとう」「愛しています」の四つの言葉をただ繰り返して言うだけでいいのです。この四つの言葉を言うことによって、わたしたちの潜在意識のなかにある情報は消去され、ゼロの状態に限りなく近づいていきます。何も難しいことはありません。実に簡単にクリーニングをすることができるのです。

I'm sorry.

Thank you.

わたしたちの潜在意識のなかには1秒間に１１００万ビットの情報が立ち上がっているといわれています。これに対して、わたしたちが日常知覚している（気づくことができる）顕在意識は、1秒間に15～20ビットの情報しか立ち上がっていません。ですからわたしたちには、潜在意識のなかでどのようなことが起きているか想像すらつかない状態にあります。

ところがホ・オポノポノでは、わたしたちがうかがい知ることができない、潜在意識のなかの１１００万ビットの情報に直接働きかけてくれるのです。そして、実際に潜在意識のなかのどの部分の情報が問題を引き起こしているのか知ることはできませんが、その原因となっている情報をクリーニングして、ゼロの状態に戻してくれるのです。

しかも、その方法とは「誰もが」「自分だけで」「簡単に」実践することができる方法です。すなわち、「ごめんなさい」「許してください」「ありがとう」「愛しています」の四つの言葉をただ繰り返して言うだけなのです。

これがホ・オポノポノの最も偉大なところなのです。何も難しいことはありません。すべてはあなたの手の内にあるのです。

●ホ・オポノポノで経済のトランスミューテーションが起こる

現在、世界に広がっている経済危機を思うと、目を覆いたくなるばかりです。しかし、経済の現状を嘆いてばかりいても仕方ありません。大切なのは、どうやってこの問題を解決するのか、ということです。

ところが、経済の専門家に聞いても、この経済危機の解決の方法について、具体的な解決策を提示できる人は誰一人いません。世界大恐慌以来の「百年に一度の大不況」だということが強調されるだけで、「その処方箋はない」という答えが返ってくるばかりです。世の中で最も優れた学者や経営者たちでさえも、この経済危機の抜本的な解決策がなんであるか、誰も答えることができないのです。

その代わり、経済危機の原因追及は進んでいます。「計画」と「管理」の甘さを専門家はそろって指摘しています。

わたしは、まったく逆だと考えています。「計画」と「管理」を重視する、つまり情報を重視する「知識の経営」が過去1年間に何を生み出したか検証すれば、よくわかると思います。

その結果、「政府が悪い」「業界が悪い」「会社が悪い」と、誰もが自分以外の人のせいにして、誰も責任をとらない無責任な風潮が生まれました。今後数千億ドルというお金が景気対策に使われたとしても、未曾有の経済不況を救う手立てとはならないのです。

なぜなら、**今の経済状況を予測できずになんら有効な対策を打ち出せなかった学者や経営者が、今後も有効な対策を立てることができるとは思えない**からです。

一方、**ホ・オポノポノによるビジネスには対策不能ということはまずありません。**

なぜなら、**ホ・オポノポノによるビジネスは、期待や願望を消去してゼロになることで、ビジネスを最大限に効率よく運営し、最大限に利益を生み出す方法**だからです。

ホ・オポノポノでは「そのもの本来の力」に焦点を置いています。

経営者はもちろんのこと、社員、仕入先、販売先、関係する取引先、株主など、それぞれが自分らしくいることによって、それぞれが持っている能力が最大限に発揮されることになるのです。さらには、職場の人員配置が自然に最適化されるので、会社全体の生産性が向上するのです。

その最適な組織に、いつもインスピレーションがやってくるわけですから、今回の経済危機のような予測不能な事態が発生したとしても、最善の方法で的確に対処することがで

きるのです。

どんなに優秀なＭＢＡの卒業生であっても、ナスダックへの株式公開を果たした新進のベンチャー起業家であっても、世界最高水準の経済学者であっても、自分たちの持てる知識と経験を総動員したとしても、それは一人のビジネスパーソンの「神聖なる存在（Divinity）」からやってくるインスピレーションに勝るものではありません。

最新の経営工学や経済学に頼っているかぎり、事業計画の想定外の出来事に対する対応能力は残念ながらゼロに等しいのです。そもそも、ホ・オポノポノでビジネスを考えると、事業計画というものがさほど意味を持たないことがよくわかるのです。

ホ・オポノポノによるビジネスに取り組んで、社内のクリーニングを以前からしていれば、今回の世界的な経済危機も「起こるべきことが起こった」としてとらえるだけで、大騒ぎをして緊急会議を毎日開くようなことはないのです。

ホ・オポノポノによるビジネスのもう一つの特徴は、**「すべての出来事は１００％自分の責任である」**と考えることです。現在の世の中の無責任な風潮とは、１８０度異なる考え方です。

「１００％自分の責任である」ということから、自分以外の問題についても責任をとって解決する努力をするのです。他人に関する潜在意識の情報は、自分とその他人で共有しています。その共有している潜在意識のなかの情報をクリーニングすることによって、他人の情報も消去することができると考えるのです。

他人のせいにしたり、人任せにしたりせず自分でクリーニングする――この考えを世界規模にまで広げれば、世界の経済危機に対しても十分対処することができるのです。

こうしてホ・オポノポノによるビジネスが浸透すれば、世界経済のトランスミューテーションが起きることでしょう。

放射線を受けて生物が突然変異するように、ビジネスもこれまでの競争によるビジネスからホ・オポノポノによるビジネスへと今、根こそぎ大変貌しようとしています。わたしはこの変化をトランスミューテーションとよびます。

すなわち、「事業計画経営」から**「インスピレーション経営」**へのトランスミューテーションです。

「計画」と「管理」を主体とする「知識の経営」から**「インスピレーション」と「自由」を主体とする「知恵の経営」**へのトランスミューテーションです。

過去の成功体験という「記憶」にしがみつくのではなく、ゼロから生まれるインスピレーションの素晴らしさを信じて行動しましょう。

ホ・オポノポノによるビジネスは、現在の世界の経済危機に対する一つの有力な解答であるとわたしは考えます。

ホ・オポノポノ体験談1

25年間引きこもりだった姉と沖縄旅行へ

セリーン株式会社代表　平良・プア・ベティー

わたしはもともと5人兄弟の真ん中で、そのなかに5歳上の姉がいます。

姉は父親の違う妹と弟の先頭に立って、母親が仕事で忙しく家に不在の状況のなか、いつも長女としてわたしたちの面倒を見てくれていました。そして同時に幼いころから母親のケアを一心にしていました。

30代に入ったころ、姉は鬱病と診断されました。

25歳でわたしが結婚し、初めての子どもが生まれたのを姉は心から喜んでくれ、仕事で忙しかったわたしの代わりに子どもの面倒を見てくれました。しかし、そのころから姉は外出をまったくしなくなり、ゴミを捨てに行くことさえためらうようになっていきました。

当時、わたしはさまざまなセミナーを受け始めていたので、姉をセミナーに誘ったり個人セッションを受けるように説得したり、遠隔治療などを勧めたり、今思うと100種類を超えるような健康器具、健康食品を買いそろえて、なんとか病気が治るようにとあらゆる可能性を試してみましたが、わたしは効果がないとすぐにあきらめてしまっていました。

姉にとってテレビだけが友達のようになってから25年が過ぎた2007年の5月。わたしはホ・オポノポノの存在を知り、その月にはクラスを受講するためにアメリカに飛んでいました。早速クラスで扱う「12のステップ」を、自分と自分の家族に当てはめ、ひたすらクリーニングを続けました。そうすると、なによりも自分自身がだんだんと軽くなっていくのを感じました。ホ・オポノポノと出会いクリーニングを始めてから半年近くが過ぎた2008年の1月には、姉はもうゴミ出しに行けるようになり、6月には日常的に近所までお散歩に出たり買い物に行ったり、少し離れたわたしのオフィスにまで来てくれるようになりました。

そのようにだんだんとクリーニングが続いていくと、ホ・オポノポノの「すべては100%自分の責任である」ということが実感として感じられるようになりました。わたしにとっての一番の悩みは、姉ではなく自分の心のなかにあった「不安」「恐れ」が、姉という存在に投影されていただけなのです。

「100%自分の責任」という立場から、外にあるすべての出来事、問題も何もかもが自分の内側から生み出されているという気づき。そして、いつも「姉を助けたい、わたしがなんとかしなければ」という自分が持ち続けてきた意識をクリーニングし、今まで一切ないがしろにしてきた自分がしたいこと、自分の内側が欲することに焦点を合わせるようにしました。わたしのなかの一体どの記憶が姉を鬱(問題ばかり、いい加減にしてくれ、わたしにばかり甘えないで、姉は自分にとってお荷物)にしているのか、一つひとつクリーニングを始めました。

わたしが老いてしまったら、この人は一体どうなってしまうのだろうと不安を持ち続けていたこと、その不安を解消するために病院通いさせ、薬を与えたりしましたが、それらは無効であり、わたしの記憶が姉を通して鬱となって現れてきてくれただけなのです。姉はもともと完璧な存在で、それ以外のことはすべてわたしの記憶だったのです。

それらに気づき、罪悪感なしで自分のやりたいことや思いに許可を与えられるようになり姉の問題なども忘れかけたころ、もともと完璧であるはずの姉は勝手に元気になっていったのです。

だんだんと元気になる姉以上に、クリーニングを通して心に健康を取り戻したのはわたしでした。最近では二人で20年ぶりに沖縄に里帰り旅行をしました。

いさかいが絶えなかった二人の会話も「次はどこへ行こうか」といった内容に変わったのです。

第2章

ホ・オポノポノの本質

●ハワイの州立病院での奇跡

わたしは、1983年から1987年までの5年間、ハワイの州立病院の特別病棟に勤務していました。

その特別病棟とは、殺人、レイプ、暴行、窃盗などの罪に問われ、なおかつ精神錯乱状態にあるとされた囚人患者が収容されている特別施設でした。

施設内では患者同士、スタッフに対する暴力事件が頻発していたため、患者の多くが手錠や足かせをはめられていました。スタッフたちは背後から凶暴な患者に襲われないように、壁を背にして歩くことを習慣にしていたほどです。

そのような恐怖の職場でしたので、スタッフの欠勤や遅刻も多く、勤務自体も長続きしないのが実態でした。

患者の立場から見ると次のようなことになります。例えば、自分の母親を殺した囚人がいるとします。その人は母親を殺して、今度は母親を殺したという自責の念にかられて自分が苦しみ、アルコール中毒になったり、精神病になったりして、心が病んでしまうのです。それで彼は特別施設に収容されることになります。

そのような重症患者ばかりが集まっている収容施設なのです。

そこでこの厳しい状態を打開するために、州政府は有能なセラピストを雇って施設に派遣するのですが、結局なんの成果も出せないので、数ヵ月後にはクビにせざるを得ません。あるいはセラピスト自身が劣悪な職場環境に嫌気がさし、自ら退職してしまうのです。


さて、その問題の収容施設にわたしが派遣されることとなりました。

わたしは、決して患者とは会おうとしませんでした。カウンセリングを実際に行うことは一切しなかったのです。ただ、患者のファイルを見ていただけなのです。

なのに患者は立ち直り、次々と退院していきました。

わたしはこの収容施設で何をしていたのでしょうか？

わたしは、クリーニング＝情報の浄化を毎日行いました。病院に行く前に家でまずクリーニングをします。病院にいる間もクリーニングをし続けました。そして、病院を出てからもクリーニングを続けていたのです。

毎日平均して3、4回ぐらいは病院のなかで暴力的な事件が起きていました。ところが、わたしが病院に勤務するようになって2、3ヵ月後から暴力事件が減少し始めました。

なぜなら、**その暴力的なことというのは、わたしのなかにあったのであって、犯罪者のなかにあったのではないから**なのです。わたしのなかの情報に光が届き、その現象を起こしているわたしの情報が消去されたので、相手の情報も消去されたのです。

こうして絶対に治らないといわれていた重症患者たちは、数ヵ月後もしくは数年後に退院していきました。

アメリカの州政府が一人の犯罪者にかけるコストは1年で約5万ドル（約500万円）といわれています。一人の犯罪者を助けることによって、わたしは年間5万ドルの予算を節約したことになります。全体として、日本円で億単位の金額を節約したのです。そして、その犯罪者は病院を出て仕事を探すわけです。その彼が今度は働き始めます。自分の生活費を自分で稼ぐだけでなく、ハワイの州政府に税金まで納める人になるのです。

わたしがやったことは、「患者を犯罪者と見る、自分のなかにある情報」を消去しただけなのです。その結果、その人は退院することになったのです。わたしは自分のなかから「彼が犯罪者」という情報をすべて消去したので、彼のなかに犯罪者を知る情報が一切なくなり、彼はもう犯罪者にならなくなったのです。

わたしは、患者に関する情報を消去しただけではなくて、病院の建築物そのものからもそのような情報を消去しました。

例えば、病院で起きた現象として、誰もトイレに入っていないのに水洗トイレの水が流れたままになったり、誰もいないのに急にシャワーの水が流れ出したり、電化製品が急についたり消えたりするなど、さまざまな不思議な現象が挙げられます。

わたしは、患者に対して行ったように、「わたしのなかに一体何があってこの建物の問題を経験しているのだろうか」ということを自分自身に尋ねたのです。そして、わたしは自分自身をクリーニングしたのです。

すると、数ヵ月後にはそのような現象は起きなくなりました。シャワーの水が勝手に流れたり、水洗トイレの水が流れたままになったりという現象も収まり、水道代がかなり節約されました。電化製品も普通の状態に戻りました。

ハワイの州立病院で行ったことは、患者や病院のためにやったのではありません。自分のためにやっているのです。わたしが平和でいれば、患者や病院も平和でいるのです。

この考え方は、実は仕事のうえでも、会社経営でも、同じように適用することができます。

すべての問題は自分のなかで起きていることであり、「100%自分の責任」なのです。

すなわち、自分以外の誰かのせいにすることはできないのです。クリーニングをせずに他人のせいにして生きるか、クリーニングをして無限の可能性を持つゼロの人生を送るかは、あなた自身の選択なのです。

●ホ・オポノポノの四つの言葉

ホ・オポノポノでクリーニングに使う四つ言葉とは「ごめんなさい」「許してください」「ありがとう」「愛しています」です。

この四つの言葉は、自分をクリーニングした結果、ゼロ＝悟りから生まれました。ですが決して新しい言葉ではなく、ブッダ、イエス・キリスト、シェイクスピア、ゲーテなどの過去の偉人たちも言っている言葉です。

ブッダは、般若心経にあるように「色即是空、空即是色」と説いています。「空」とはゼロのことで悟りの境地のことを指します。ゼロになれば光が届き、すべてが与えられるのです。世の中に認識されることはすべて「空」であると同時に、「空」のなかにあることが世の中のすべてであるとブッダは説いています。

わたしたちは本来「空」なのですが、わたしたちの情報が光をさえぎり、それが邪魔しているのです。ホ・オポノポノのこの四つの言葉によって、わたしたちは持って生まれた「空」の状態に戻ることができるのです。

イエス・キリストは、「汝の敵を愛しなさい」と説いています。ここでいう「汝の敵」とは自分自身のなかの情報（過去の記憶）のことを指しています。その情報を愛し、感謝することによって、その情報が消去されると説いているのです。

シェイクスピアは「ブランク（空）でいなさい」と言っています。「そうすれば死が落ちてくる。無の状態、空の状態でいなさい」と。理性こそ狂気、混乱、苦悩の源であると言うのです。

このように、わたしは何も新しいことを言っているのではないのです。過去の偉人たちが今まで繰り返し言ってきたことと同じことを、新しい情報として伝えているだけなのです。

モナが開発したホ・オポノポノは、「誰もが」「自分だけで」「簡単に」実践することができる問題解決法です。

ホ・オポノポノのクリーニングの方法は、実にシンプル。「ごめんなさい」「許してください」「ありがとう」「愛しています」の四つの言葉をただ繰り返して言うだけです。ところがシンプルであるがゆえに、さまざまな疑問がわいてきます。疑問がわくというよりも、皆さんの潜在意識のなかにある情報がそのような疑問を引き起こすといったほうが正確かもしれません。

例えば「誰に向かって言えばいいのか」とか「そういう気持ちになれない」とか「何回言ったらいいのか」などです。

これらの疑問については、第3章でQ＆A形式でお答えしていますので、ぜひそちらを参考にしてください。

ここでわたしがとても残念に思うことは、ホ・オポノポノの四つの言葉をせっかく知ったのに、そのままにして何も実践しない、ということです。本当に「もったいない」と思います。皆さんにとって、自分自身のクリーニングを通じて、自分と家族の人生、そして自分の会社を変えることができる素晴らしい機会なのですから。

ホ・オポノポノの問題解決法は、実践しないことにはなんの価値もありません。わたしが日本に来てセミナーを開催したり、本を出版したりするのは、いい話を聞かせるためでも、感動する話を読んでもらうためでもありません。皆さんとご縁のある自分自身のクリーニングをするため、皆さんのクリーニングをするため、皆さんにクリーニングをする方法を教えて皆さんにクリーニングをしてもらうためです。結局、**すべてクリーニングのため**なのです。クリーニングすること以外に目的はありません。

ですから、**皆さんのやるべきことは自分自身をクリーニングすること**なのです。すなわち、「ごめんなさい」「許してください」「ありがとう」「愛しています」のホ・オポノポノの四つの言葉を使って、クリーニングをすることなのです。

●すべての問題は自分のなかで起きている

すべての出来事は自分に関することを除いて、すべて自分の外で起きていると思われていますが、はたして本当でしょうか？

ニューヨーク市場の株価暴落のニュースと、パレスチナのガザでのイスラエル軍侵攻のニュース。この二つのニュースをテレビで見た人が二人いるとしましょう。このことを例として考えてみます。

二人の人物が同じニュースを見たはずなのに、ニュースのとらえ方はまったく正反対というのはよくあることです。ニューヨークの株価暴落のニュースを見て、株の投資をしている人は「困った！　損をした」と思いますし、株の投資を一切していない人にとっては、あまり関心のないニュースでしょう。

パレスチナへのイスラエル軍侵攻について、あまりいい感情を持っていない人にとっては、ガザへの軍事侵攻のニュースを見て、イスラエルに対して憤慨したり、パレスチナ人に同情したりしますが、イスラエル寄りの人には当然と思えるニュースかもしれません。

このように同じ出来事が起きても、人によって認識することはまったく異なるのです。

ポイントは最終的にどこで認識したかです。最終的に認識をしたのはそれぞれの脳のなかなのです。**脳のなかで物事がどのように認識されるかによって、その物事の起き方（結末）が異なってくる**のです。

確認しておきたいのは、**「自分の心の外で起きていることは、結局のところ何もない」**ということです。起きていること（知覚されていること）は、すべて自分の潜在意識が思うとおりに再生され、都合よく潜在意識に記憶されるのです。

このことを既にブッダは今から２５００年前に悟りました。それが般若心経の「色即是空、空即是色」という言葉です。

ホ・オポノポノでは、世の中に起きるすべての問題は、わたしたちの潜在意識のなかの情報（過去の記憶）に原因があると考えます。

ホ・オポノポノでいう潜在意識とは、自分だけの経験の記憶のことではありません。宇宙の誕生以来すべての生命体の蓄積された過去の記憶の総体を指します。その潜在意識のなかの情報が、自分に起こる問題だけでなく、他人に起こる問題の原因ともなっているのです。

ですから、**問題はすべて自分のなかで起きているのであって、自分の外で起きている問題はない**のです。

したがって自分に起きることだけでなく、他人に起きるすべての出来事についても、自分に責任があるという立場に立つことができます。つまり「源はわれにあり」という考え方です。

わたしたちは、問題を他人のせいにすることにあまりにも慣れすぎています。「親が悪い」「妻が悪い」「夫が悪い」「教育が悪い」「会社が悪い」「社会制度が悪い」「景気が悪い」「国が悪いなど」……。どんなことでも他人や環境のせいに簡単にすることができるのです。

ホ・オポノポノの問題に対する考え方はまったく違います。

問題を考えるとき、**「自分のなかの潜在意識に一体何があって、この現象を自分が生み出しているのだろうか」**ということを常に探求するのです。そして、その情報（過去の記憶）を消去することによって、問題の原因を取り除くのです。

他人のせいにするのをやめて、自分の責任ということに気がつけば、恋愛も、ビジネスも、人間関係も、人生も、そして世界もまったく別のものとなるのです。なぜならば、**原因がすべて自分のなかにあるのならば、その問題に必ずアクセスすることができる**からです。誰かのせいにしているかぎり、問題自体にわたしたちはアクセスすることはできません。評論家やテレビの視聴者のように、一歩離れたところから無責任な発言をしているだけにすぎないのです。

原因がすべて自分のなかにあると気づいたなら、その問題に対して課題として前向きに取り組んだり、解決のための努力を進んで行ったりすることが可能となるのです。

さらに一歩進んで、**何か問題がある人に出会うということは、自分自身をクリーニングする機会が与えられている**と考えることができます。同様に何か問題が発生したとき、障害に阻まれたとき、それは自分にとって浄化するチャンスが与えられたと見ることができるのです。

つまり、「問題はわたしたちが自分自身をクリーニングするために起きている」のです。**問題を起こしてくれる人、運んでくれる人は、わたしたちがクリーニングをするための機会をわざわざ与えにきてくれるありがたい人たち**です。

すべての責任は100％自分にある

「源はわれにあり」という言葉があります。

「自分に起きてくることはすべて自分に原因がある」という意味の言葉ですが、解釈によっては「もとをたどれば自分にも原因がある」というような自己責任でも多少消極的な意味で言っているように解釈することもできます。

一方、「100%あなたの責任」と言われてしまうと、思わず耳をふさぎたくなることもあるはずです。

人生にはさまざまな出来事が起きます。受け入れがたい出来事や許せない行為、愛する人を奪う突然の病気や事故など、自分の責任とはとても思えないことが、人生にはときとして起こることがあるかもしれません。

しかし、ホ・オポノポノではそのような出来事でさえ、「100%自分の責任」であるという立場をとります。

「他人に起こる出来事も含めて100%自分の責任」という考え方は、最初は「一体どうして?」と思う人も多いと思います。

特に日本人の場合、理解することが非常に難しいかもしれません。というのも、日本では、グループで責任をとる(ある意味で誰も責任をとらない)ということが社会の暗黙のルールとなっているからです。

ところがよくよく考えてみると「100%自分の責任である」という考え方は、実は、ものすごく光栄なことでもあるのです。

ホ・オポノポノでは、「自分のなかに何があってこの問題を自分は引き起こしているのか」ということを常に探求します。つまり、**100%自分が原因を知っている**という立場に立つのです。

「100%自分の責任」であるということに気がつけば、その瞬間に世界は違ったものに見えてきます。

まず、その瞬間から誰も責めることができなくなります。人によっては、ある意味とても困ります。いつも誰かのせいにすることに慣れていた人は、かなり戸惑うことになるでしょう。

そして「100%自分の責任」であるということは、すべてをそのまま受け入れるということを意味します。他人の人生を含めて、すべての出来事は自分の人生のなかに起きていることなのですから。

「100%自分の責任」を引き受け、あなたが自分をクリーニングすることで世界はまったく違って現れてくるのです。

このことは、個人だけのことでなく、ビジネスや会社にも当てはまります。

もし、自分の会社がうまくいっていなかったら、経営者、マネージャー、スタッフなど

誰かを責めるのではなく、自分のなかに何が起きているのかを見て、責任をとることになります。それこそが本当のリーダーシップです。

これは自分の役職、立場に関係ありません。経営者でなくとも、一人のアルバイトであっても、その会社がうまくいっていなければ、それは自分の責任なのです。それも100%あなたの責任なのです。

社会通念とは異なるかもしれませんが、ホ・オポノポノではこう考えます。

さらに、ホ・オポノポノではその原因となっている自分のなかにある情報（過去の記憶）を消去する方法も教えてくれるのです。**「100%自分の責任」ということをただ教えているだけではなく、その責任をどう解除したらいいかということまでも、ホ・オポノポノでは教えてくれる**のです。

しかも、その方法はとても簡単なのです。問題が自分の潜在意識のどこにあるのかを探求し、その問題が生み出されている情報を消去するという、とてもシンプルなことを実行するだけなのです。

まず、「一体、自分の潜在意識のなかのどの情報に原因があってこの問題が起きているのだろうか」と自分自身に尋ねます。続いてその部分に対して「ごめんなさい」「許してください」「ありがとう」「愛しています」というホ・オポノポノの四つの言葉を心のなかで唱えるのです。これを繰り返すことでクリーニングが完了します。わたしたちにできるのはここまでです。ここから先は「神聖なる存在（Divinity）」の領域なのです。

ホ・オポノポノは、ある意味でとてもビジネスライクなメソッドであると言えます。

わたしたちには二つの進むべき道があります。誰かの責任にして人生を生きるか、100%自分の責任として人生を生きるかです。

すなわち、責任が向こう側にあると思い続けて生きるか、100%自分のなかにあると信じて生きるかです。

責任が自分のなかにあると信じることができるのなら、すべてのことはあなたの手のなかにあるのです。

●意識の構造はこうなっている

わたしたちが日常知覚できる（知ることができる）意識を「顕在意識」（ウハネ／母）と

いいます。これに対して、日常知覚できないわたしたちの意識のことを「潜在意識」（ウニヒピリ／インナーチャイルド）とよびます。

ホ・オポノポノでいう**「潜在意識」**とは、宇宙の誕生＝ビッグバンから今日に至るまでのすべての生命体が経験した情報を持っている意識そのもののことを指しています。一般にインナーチャイルドというと幼児期のときの自己意識のことだけを指す場合がありますが、ホ・オポノポノではもっと広範囲な意識のことを意味しています。

この潜在意識のなかのさまざまな記憶の再生が、悩みや苦しみや病気や貧困などの原因となっているのです。

これに対して**「顕在意識」**は、わたしたちが日常知覚している意識のことで、潜在意識にとって母親のような存在です。

「超意識」（アウマクア／父）は、潜在意識にとって父親のような存在で、常に「神聖なる存在（Divinity）」と一体化して動いています。潜在意識からくる情報やリクエストを「神聖なる存在（Divinity）」に整えて取り次ぐのが、「超意識」のとても大切な役割です。

「神聖なる存在（Divinity）」は命の源であり、潜在意識の記憶を消去して、インスピレーションをわたしたちに授けてくれます。

「神聖なる存在（Divinity）」は神のような存在ですが、だからといってわたしたちの外側にあるのではないことに注意してください。わたしたちの意識のなかに「神聖なる存在（Divinity）」は既にあるのです。

ですから、わたしたちは誰にも頼らず自分だけで最良の判断をすることができるようになっているのです。

顕在意識の立ち上げる情報量が1秒間に15〜20ビットのオーダーであるのに対し、潜在意識の情報量は1秒間に1100万ビットであるといわれています。実に100万倍に近い莫大な情報が潜在意識には届いているのです。

ホ・オポノポノでは、計り知れないこの潜在意識の1100万ビットの情報に直接働きかけるので、問題を引き起こしているすべての原因を消去（デリート）してゼロの状態にしてくれます。

それどころか、わたしたちは潜在意識の何が原因であったのか、そして潜在意識のどの部分が消去（デリート）されたのか、知ることすらできません。

セルフ・アイデンティティ（無の状態）

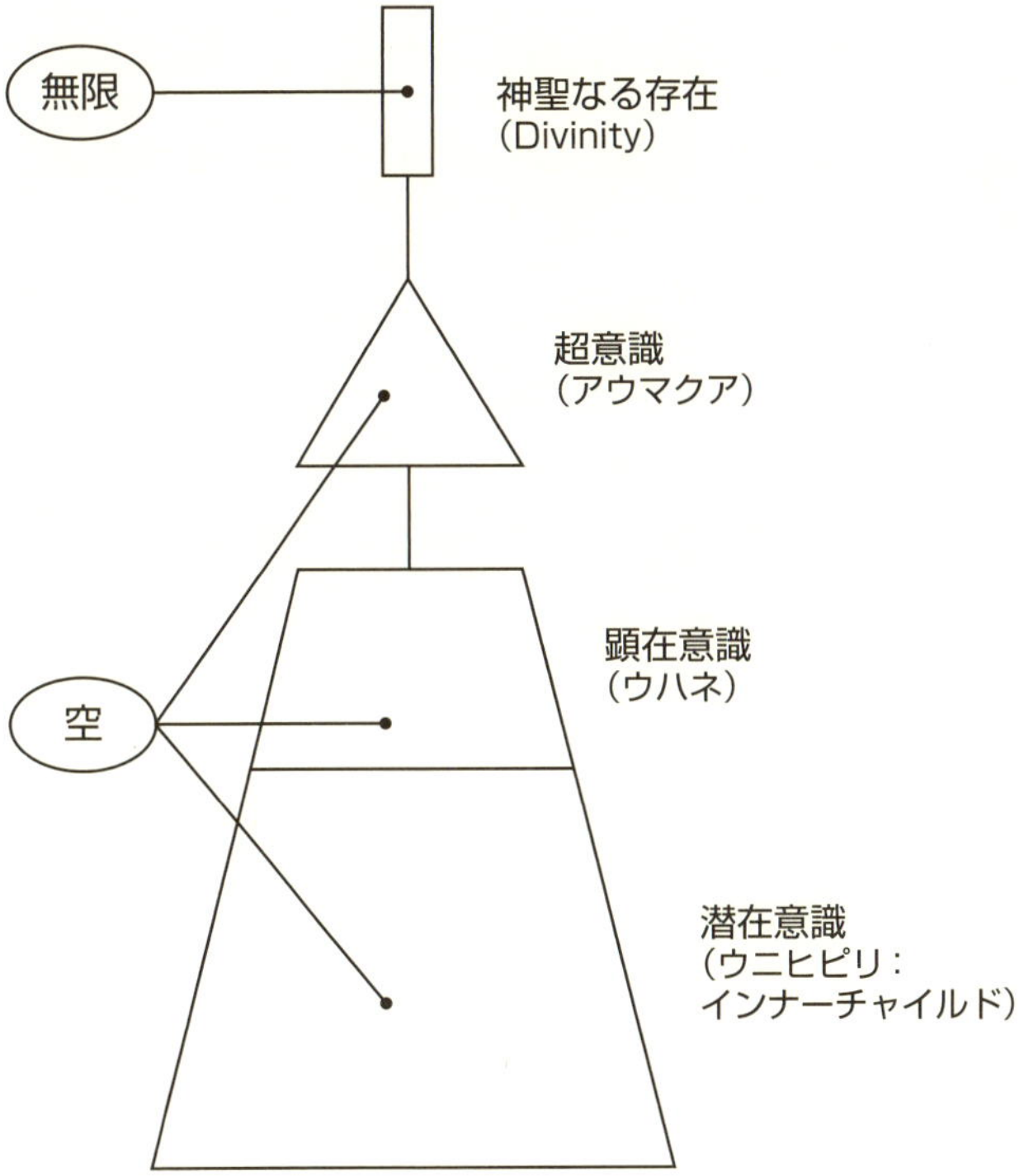

わたしたちは、自分たちのなかに「神聖なる存在（Divinity）」が存在しているので、いつもすべてのことを知っているといえます。

ですから、**自分が何に左右されているかわたしたち自身がわからなくとも、その問題の原因となっている部分を消去（デリート）することができる**のです。これは本当にすごいことだと思います。原因をわかることすら必要ないのですから。

わたしたちは世の中の情報をすべて管理していると考えがちですが、真実は異なります。実は、わたしたちは情報に洗脳され、情報に逆に管理されてしまっているのです。

この状態では、わたしたちに光は届きません。情報によって光がブロックされ、光をふさいでしまっているのです。

だから、わたしたちの潜在意識のなかにある情報を消去する必要があるのです。わたしたちの潜在意識のなかの情報が消去されると、わたしたちは洗脳から解放されて自由になります。ブロックされていた光がわたしたちに届き、完璧な状態となることができるのです。

つまり、わたしたちに光が通っているという感覚となるのです。ですから、パーフェクトにインスピレーションが入ってくるようになるのです。

●情報を消去するプロセス

ホ・オポノポノでは、「宇宙は情報で成り立っている」と考えます。

ここでいう「情報」とは、いわゆるinformationのことではありません。

情報には二つの種類しかありません。「過去の記憶」と「インスピレーション」です。

この意味での情報で、宇宙は成り立っています。

宇宙には情報しかないのです。


あなたが何かをしゃべるとき、それをしゃべったのは誰でしょうか?

実はしゃべったのは「あなた」ではなく、あなたのなかの「情報」です。情報がいろいろ組み合わさって、いろいろな考えや感情が起こったりするのです。

ホ・オポノポノで情報を問題にするのは、「宇宙は情報でできている」という考え方によります。

そして、この宇宙を満たしている情報（過去の記憶）は、わたしたちのなかにすべてあります。

自分の身の周りで何か問題が起きているとしたら、それは情報が原因です。そしてその情報は自分のなかにあるので、その情報を消去（デリート）すれば問題はすべて解決するのです。

ところが、わたしたちは情報をコントロールすることはできません。なぜならば、本人には何が起きていて何に動かされているかわからないからです。わたしたちは誰一人何が実際起きているのかわからないのです。

顕在意識には1秒間に15～20ビットの情報が立ち上がっているといわれています。これに対して潜在意識には1秒間に実に１１００万ビットの情報が立ち上がっているといいます。

ということは、**わたしたちの顕在意識では実は何もわかっていない**ということを意味しています。実際のところ、何が起きていて何が起きていないのか、誰にもわからないのです。

それなのに、わたしたちは情報を分析して答えを出そうとしています。**わたしたちが本**

当にしなければならないことは情報を分析することではなくて、情報を「消去する」ことなのです。

では、一体どうしたらその情報を「消去する」ことができるのでしょうか?

それは情報をクリーニングすればいいのです。情報がクリーニングされれば光が通るので、情報が消去されたことになります。光をブロックしていた情報を「消去する」ことで、インスピレーションというこれまで存在したことのない情報がわたしたちにやってくるのです。

では、実際に情報を消去するプロセスを紹介しましょう。

①顕在意識(ウハネ/母)から潜在意識(ウニヒピリ/インナーチャイルド)に、クリーニングを通じて記憶消去のリクエストが届く。そのリクエストは該当する記憶を揺らし、変容・消去へと誘《いざな》う

②顕在意識から潜在意識に働きかけた記憶の消去リクエストが、超意識(アウマクア/父)へと上っていく

③超意識は潜在意識から届いた消去リクエストを再度吟味し、適切な修正を加え「神聖な

る存在（Divinity）」に取り次ぐ
④「神聖なる存在（Divinity）」は、超意識から取り次がれた記憶の消去リクエストを受け取る。そして、記憶を変容させるエネルギーを超意識に放出する
⑤このエネルギーは、超意識、顕在意識を通って、潜在意識にある該当の記憶に達する。記憶はこのエネルギーによって中和され、やがてゼロになって消去される
⑥このゼロ（空）になったスペースに、「神聖なる存在（Divinity）」から超意識・顕在意識を通ってインスピレーションがやってくる

ただし、情報の消去が起きるためには一つの前提があります。それは、「顕在意識（母）」「潜在意識（インナーチャイルド）」「超意識（父）」の三者がバラバラになっていない、ということです。そのためには潜在意識（インナーチャイルド）を愛して慈しむことが大切なのです。そして常にそのケアをしてあげることが必要です。

記憶の消去とインスピレーション

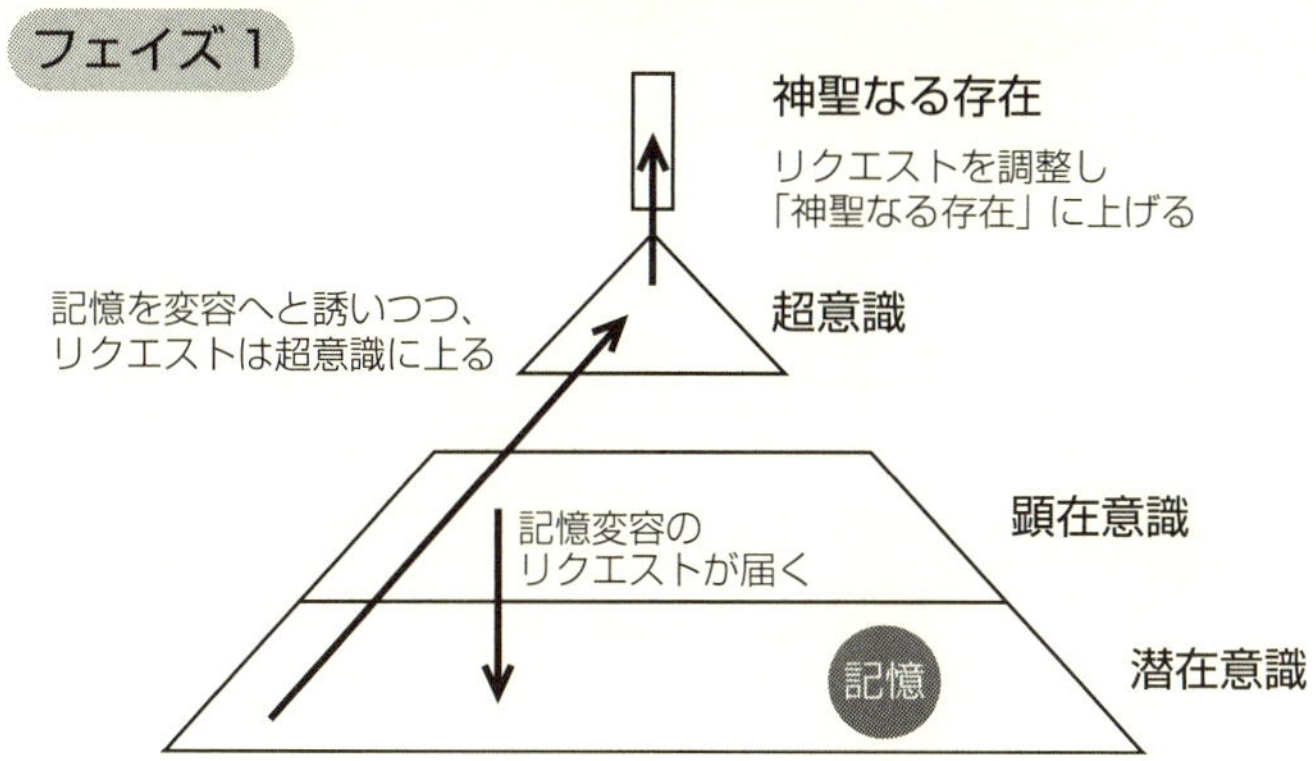

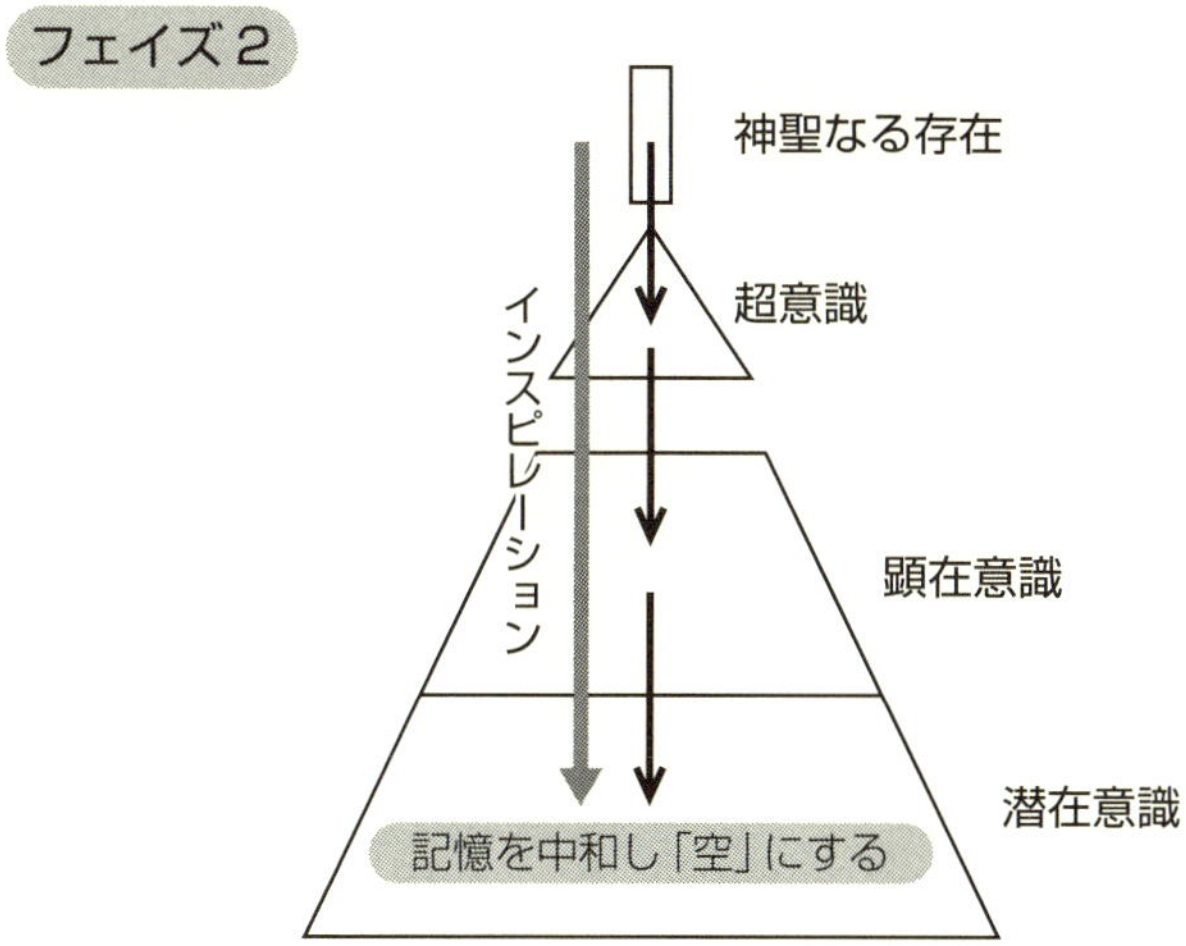

●直観とインスピレーション

ホ・オポノポノでは、インスピレーションをとても大切にしています。インスピレーションがやってくる、すなわち光が届く悟りの状態こそホ・オポノポノが理想とするゼロの状態です。

ところが、わたしたちは「直観」と「インスピレーション」をよく混同してしまいます。

それどころか、その区別もつきません。

直観はインスピレーションに近いもの、似ているものとつい考えてしまいますが、実は、情報（過去の記憶）の再生からきているものなので、インスピレーションとは対極のものなのです。つまり、直観とインスピレーションは「似て非なるもの」なのです。

ゼロからやってきているインスピレーションのことをホ・オポノポノでは**「霊力」**とよんでいます。

記憶の再生である直観とは完全に区別をしています。

ここで、少し直観の話をしましょう。

わたしたちは寝ている間に夢を見ますが、夢に関するスピリチュアル系の本を読むと、あたかも夢はインスピレーションの分野のことのように思いがちです。

ところが、実は、**夢は過去の記憶の再生**にすぎません。夢も潜在意識のなかの情報から現れるものなのです。

ハワイでは「同じ夢を3回見たら気をつけろ！」という警告の意味のことわざがあります。なぜならば「夢が自分をやっつけることになる」と信じられているからです。

このことわざはおそらく、「直観は潜在意識のなかからきている、過去の記憶の再生＝古い情報なので気をつけなさい」ということを意味しているのだと思います。

これに対して、「神聖なる存在（Divinity）」からくるものは「インスピレーション＝霊力」であって、**「霊力」は過去の記憶でなく、これまで記憶に存在したことのない、まったく新しい情報**なのです。

この世に存在したことのない初めての情報として現れるものなので、無限（ゼロの状態）からやってきたものなのです。

ところが前述したように、わたしたちには何が直観で何がインスピレーションなのか、その違いを知ることができません。区別をすることができないのです。実は、これが非常にやっかいなことなのです。

直観とインスピレーションの区別すべき最大のところは、「どこから生まれるか」です。直観が潜在意識の情報の再生から生まれるのに対して、インスピレーションは「神聖なる存在（Divinity）」から生まれてきます。

では、どうやって区別したらいいのでしょうか。過去の記憶と新しい情報といわれてもその違いがよくわからないかもしれません。

ヒントはあります。こんなときはインスピレーションと考えられます。

例えば、**何か行動を起こして数日後に過去を振り返ってみて「ああ！　すごいことをやってしまった！　一体どうやってできたのだろう！」と思うことが気づかぬうちに起きていたり、ビジネスのうえで自分が必要とする、これ以上ないほどぴったりな人材が偶然現れて、仕事が完璧に行われたりしたとき**などです。とにかく努力も何も必要ありません。苦労して得た結果だとしたら、それはインスピレーションの結果ではありません。

宇宙は、わたしたちが宇宙の流れと一致しているとき、完璧な贈り物を届けてくれるのです。

結果として、自分の生き方の流れに沿っているもので、よくよく考えてみると自分のためにも周囲の人のためにもなる行動をしていたということになるものです。しかも、今までの行動からは考えられないこと……なのです。

こうして考えてみると次の三つのキーワードが浮かんできます。

すなわち **「努力なし」「予想外」「無意識」** です。

この三つのキーワードからもわかるように、わたしたちにはインスピレーションを起こそうとして起こせるものではないことがわかります。

ですから、わたしたちは「神聖なる存在（Divinity）」からインスピレーションがいつでもやってこられるように、常に情報を消去（デリート）し続けて、自分自身を光が届く、ゼロの状態にしておく必要があるのです。

●宇宙は情報でできている

コンピューターを操作する人なら誰でもわかると思いますが、コンピューターで最も大切なボタンの一つは「デリートボタン」です。

もし、デリートボタンがなければどういうことが起きるでしょうか？　すぐにコンピューターのメモリーがいっぱいになって、コンピューターは動かなくなってしまうでしょう。

今、ビジネスの世界ではこの事態が起こっているのです。**ビジネスの世界で今一番困っていることは、情報をデリートする方法がわからない、ということです。**つまり、ビジネスのなかでの問題を消去することが非常に難しくなっているのです。

問題を発見することはできます。問題の今後の予測をすることはできます。しかし、問題の本当の原因の把握と解決を図ることができないのです。

経済界の人々は、計画をしたり、管理をしたりすることは得意なのですが、膨大な情報の消去という大きな問題の重要性にまだ気づいていないのです。

ではここで、ホ・オポノポノの問題解決のプロセスをコンピューターにたとえて考えてみることにしましょう。

まず、コンピューターのメモリーに記憶されているビットに相当するのが情報(過去の記憶)です。わたしたちのほとんどが、情報がメモリーに満杯になるほど蓄積されていて、新しい情報が入るスペースがない状態になっています。

そこでデリートボタンを押すと、情報が消去されます。そして、消去された情報の部分にスペースが生まれます。そこに新しい情報が入ってくる余裕が生まれるのです。この新しいスペースを作ることが消去（デリート）をするということなのです。

コンピューター全体に相当するのは宇宙ということになります。

わたしたちが情報を消去すると、同時に「神聖なる存在（Divinity）」から光が届きます。わたしたちはもともと光が通っている存在なのですが、余分な情報によって光が見えなくなってしまっているのです。情報がブロックして光をふさいでしまっているのです。

次に、自分の潜在意識の情報を消去することによって、他人の情報も消去される、すなわち他人にも結果として影響を与えることができるということを、コンピューターを例にして考えてみましょう。

コンピューターを「宇宙」、コンピューターウィルスを潜在意識のなかの「情報」、各ソフトウェアを「人間の意識」だとしましょう。

問題を起こしているウィルス（情報）を駆除することによって、コンピューター（宇宙）から完全に情報が消去され、すべてのソフトウェア（人間の意識）が正常に動くようになります。

これが自分の潜在意識の情報を消去することによって、他人の情報も消去される仕組み

宇宙をコンピューターとして考えてみる

ウィルスをデリートボタンで削除するとプログラムが適切に動くのと
同じように、情報を削除すると人間の意識も適切に動くようになる

なのです。コンピューター（宇宙）内に共有していたウィルス（情報）を削除することによって、各ソフトウェア（人間の意識）が正常化するのです。

では、人間が作ったコンピューターと神様が創った宇宙コンピューターとの違いはどこにあるのでしょうか？

人間が作ったコンピューターは、まず物理的にデリートボタンを押す必要があります。しかし、**神様が創った宇宙コンピューターは「デリート（消去）！」と言うだけで情報が消去されます。**そして情報が消えると同時に、同じ角度で、また同じスピードで、光が通るのです。そこが大きな違いです。

また、人間が作ったコンピューターでデリートする場合は、何を削除するのか明確に特定する必要があります。

しかし、神様が創った宇宙コンピューターは「一体、自分の潜在意識のなかの情報のどの部分が問題の原因になっているのだろうか」と自分に尋ねるだけで、その部分を特定してくれるのです。

あとは、それをデリートするだけなのです。うっかり大切なソフトウェアを削除してしまった、というようなことは起きないのです。

最後にゴミ箱の話をしましょう。

人間のコンピューターでデリートボタンを押すと、いったんゴミ箱に削除されたものが入ります。しばらくしてから、本当に不要だと判断したら、今度はゴミ箱の中身をすべて空にして完全に削除するわけです。コンピューター上から情報が完全に消去されたわけで、空いたスペースに新しいソフトウェアをインストールすることが可能になります。

人間も実はこのプロセスを踏んでいます。不要だと思ったこと、嫌なこと、忘れたいことなどをすべていったん頭の隅に追いやったりするのです。

ところが人間の場合はここで終わってしまうのです。ゴミ箱を空にするという作業がないのです。永遠に情報が累積していくのです。それが1秒間に1100万ビットの情報が立ち上がるまでに蓄積されてしまう原因なのです。

I'm sorry.

ホ・オポノポノ体験談2

ホ・オポノポノ効果で業績が大幅にアップ

三洋装備株式会社　常務取締役　菅生龍太郎

三洋装備は、栃木県出身の父が１９５９年に東京の大井町で、脱サラして設立したビルメンテナンスの会社です。父は、柔道で実業団の全国大会に出場するほどの腕前（六段）で、その実力を買われて大蔵省に入省した男です。

その父が横浜税関職員を辞め、練炭、火鉢の四畳半一間から営業を始めたので、母も経理を手伝うようになりました。当時は東京オリンピック特需、鉄鋼・造船の活況、そして建設ラッシュです。当社も高度経済成長の波に乗り、多くの得意先を増やすことができたのです。その後、客先に合わせて横浜に本社を移転し、今年で創立50年となりました。現在は、年商36億円、従業員数１０００名を誇る神奈川県内でも有数のビルメンテナンス企業に成長し、父が社長、母が専務、弟がグループ会社の課長、長男のわたしが常務を務めています。

Thank you.

ところが、ビルメンテナンス業界も不況のまっただ中にあり、2007年にわたしが会社の組織改革を断行することになりました。生き残るためとはいえ、1000名の従業員のうち、正社員を600名から400名に、パート・アルバイトを400名から600名に転換して、組織改革の荒療治をしなくてはなりませんでした。しかし、会社を筋肉質に変えたにもかかわらず、売上・利益とも大きく減少したため、残念ながら2007年度の賞与は30%もダウンせざるを得ませんでした。

2008年夏に河合政実さんからホ・オポノポノを教えていただき、最初は半信半疑ながらもホ・オポノポノの四つの言葉を唱えていました。毎日「ごめんなさい」「許してください」「ありがとう」「愛しています」と言っているうちに、驚くべきことが起き始めました。

社員たちが以前にも増してやる気を出してくれたのです。わたしからお願いしなくても、自ら進んで既存の得意先を回ったり、新規開拓に行ったり、夜遅くまで残業をしたりするなど、以前とは比較にならないほど活発に動いてくれるようになったのです。

おかげさまで、この不景気にもかかわらず得意先が増え、今期は売上1割アップ、利益2倍となり、2008年暮れの賞与を5%アップして支給することができたのです。

つまり前年から比べると35％のアップになったのです。そして、臨時賞与を10年ぶりに出すことができたのです。

会社の業績だけでなく、個人的なことにも変化が起き始めました。

ホ・オポノポノの言葉を唱えているうちに、自然と人の悪口を言ったり、人のせいにしたりすることがなくなりました。すると「自分にすべての責任がある」ことに気づいたのです。そして「自分にすべての責任がある」という立場に立つことこそ、すべての問題の解決につながることがわかり、人生も１８０度変わってきました。

社員の目の前で「お前なんか出て行け！」と言われ、理不尽に殴られることもあった父が今では信じられないほど温厚になりました。会社を守ることに精いっぱいで父との会話も少なかった母も、父と打ち解けて夫婦らしい会話をするようになりました。人の話に耳を傾けることが不得意だった弟が、わたしの話にも身を乗り出して聴くようになったりもしました。

これは、怒ることもなく、毎日「ありがとう」と父、母、弟、社員たちに、わたしが心のなかで言い続けた結果だと思います。でも、やってみなければ、やり続けなければ、わからなかったことだとわたしは今になって思うのです。

Please forgive me.

本当にチャンスを与えていただき、河合政実さん、ありがとうございます。そして、

ホ・オポノポノ、ありがとうございます。

I love you.

第3章

ホ・オポノポノの言葉 Q&A

I'm sorry.

本章では、「ごめんなさい」「許してください」「ありがとう」「愛しています」のホ・オポノポノの四つの言葉を唱える実践について、皆さんの疑問点にお答えすべくQ＆Aを設けました。

なるべく丁寧にお答えしたつもりですが、疑問が解消されない場合は、「一体、自分の潜在意識のなかのなんの情報があって、疑問がわいているのだろう」と自分に問いかけ、その情報を消去することをお勧めします。

わたしは、セミナーで参加者が似たような質問を繰り返すと「あなたはどう思いますか？」と尋ねるようにしていますが、実は、ホ・オポノポノでは、誰もが「神聖なる存在（Divinity）」に自分を通じてつながることができるので、わざわざわたしに尋ねる必要はないのです。ですから、**皆さんも直接「神聖なる存在（Divinity）」に尋ねるようにしてください。実はこれが本章のポイントなのです。**なお、クリーニングはすべて自分のなかの潜在意識の情報に対して行います。

Thank you.

Q　誰に向かって言うのでしょうか?

A　情報に対して言います。

「ごめんなさい」「許してください」「ありがとう」「愛しています」のホ・オポノポノの四つの言葉は、潜在意識のなかにある情報に対して言います。

他人に向かって言うのだと解釈している人がいるようですが、他人に向かって「ごめんなさい」と謝ることでも、「許してください」と許しを請うことでも、「ありがとう」と感謝するのでも、「愛しています」と愛を伝えることでもありません。

「ごめんなさい」「許してください」「ありがとう」「愛しています」と情報に対して言うのは何かおかしいと思われるかもしれません。

ここでは、この四つの言葉は**「わたしたちが自分自身のなかで自分を憎んでいる情報」**に向かって言うのだと理解してください。

具体的には「わたしの潜在意識の情報のなかのどの部分が今の問題を引き起こしているのだろう」と自問して、その部分がどこにあるかわからないながらも「ごめんなさい」「許してください」「ありがとう」「愛しています」というホ・オポノポノの言葉を発して、

I'm sorry.

それを消去（デリート）するのです。

イエス・キリストは、「汝の敵を愛しなさい」と説いています。ここで言う「汝の敵」とは自分の外にある人のことを指しているのではなくて、自分自身のなかにある情報（過去の記憶）のことを指しています。

ですから「敵」といってもただの情報ですから、「敵を愛する」としてもそれほど難しいことではありません。

そのように考えれば、その情報を愛し、感謝することも可能となり、情報を消去（デリート）することができるでしょう。

「ごめんなさい」「許してください」「ありがとう」「愛しています」と潜在意識のなかにある情報に対して言うことで、感謝をして自分を正し、悔悛する、そして最終的に消去するのです。

Thank you.

Q どういう順番で言ったらいいのでしょうか?

A どういう順番で言ってもかまいません。

「ごめんなさい」「許してください」「ありがとう」「愛しています」の四つの言葉は、どの順番で言ってもかまいません。

まず「悔悛」があってから「許し」を請い、それから「感謝」して「愛」する……などの順序や秩序はありません。頭(理性)で考えても、それは情報(過去の記憶)の再生にすぎないのです。クリーニングを続ける過程で、「神聖なる存在(Divinity)」からやってくるインスピレーションによって自然と口から出てくる順序が、そのときの自分にとって最高の順序なのです。

大切なのはホ・オポノポノのこの言葉を言うことであって、「どこも悪くないのに謝ることはできない」「嫌いな人に愛していますとは言えない」などと言って、何もしない言い訳を探すことではありません。

四つの言葉は、自分がそのように感じる、感じないにかかわらず、まず言ってみる、実践してみることが大切なのです。

I'm sorry.

Q　感情を込めなくてもいいのでしょうか？

A　かまいません。

アメリカのロサンゼルスにはハリウッド関係の人が多く住んでいるので、この質問をよく受けます。彼らは感情を込めるのが仕事ですから。

パソコンのデリートボタンを押すときに、はたして感情を込めて押す人がいるでしょうか？　ほとんどの人がデリートボタンをただ押すだけだと思います。

「ごめんなさい」と言って泣きながらデリートボタンを押す人や、「よし！　消すぞ！」と叫んで力を込めてデリートボタンを押す人はいないと思います。

ですから、心から感情を込めて、「ごめんなさい」「許してください」「ありがとう」「愛しています」と言う必要はないのです。

問題を起こしている人が「この人は絶対に許せない」「感謝の気持ちなんて表せない」人ということもあるかもしれません。そのときは、心の底から「許したり」「感謝したり」する必要はないのです。まずは「ゆ・る・し・て・く・だ・さ・い」「あ・り・が・と・う」という言葉を言うだけでいいのです。

Thank you.

Q いつ言ったらいいのでしょうか？

A いつ言ってもかまいません。

「ごめんなさい」「許してください」「ありがとう」「愛しています」の四つの言葉は、いつ言ってもかまいません。

朝でも夜でも好きな時間に言ってもらってかまわないのです。朝に言うとパワーがあるとか、寝る前は効果が弱いとか、食後は避けるべきだとか、そのようなことはありません。それよりも大切なことは「ごめんなさい」「許してください」「ありがとう」「愛しています」の四つの言葉を繰り返し言い続けることです。

なぜなら、ホ・オポノポノの四つの言葉を言うことによって、光をブロックしている潜在意識の情報(過去の記憶)を消去することが一度できても、潜在意識の情報は1秒間に1100万ビットも立ち上がっているわけですから、またすぐに別の情報で光をふさいでしまうのです。ですから、一度ホ・オポノポノの言葉を言うようになったらもうやめることはできないのです。情報にブロックされないで光が届き続けるように、ずっとやり続けるのです。

I'm sorry.

Q 何回言えばいいのでしょうか?

A 決まりはありません。

「ごめんなさい」「許してください」「ありがとう」「愛しています」の四つの言葉を何回言わなければならない、という決まりはありません。

確かにホ・オポノポノの言葉を言い続けて、クリーニングを続けて行うことは素晴らしいことだと思います。

ただ、わたしだったら問題が消えるまでやみくもに「愛しています。愛しています。愛しています。愛しています」と言い続けることはしません。

わたしの場合は、まず自分に対して次のような質問を期待なしに一度します。

「一体、自分のなかにある何が原因で、その感情=いら立つ感情が起きているのだろうか?」「自分のなかにある潜在意識の情報の何が原因で、この問題が起きているのだろう?」と。

そして、そのいら立つ感情またはその問題を作っている情報に対して「ありがとう。愛しています」と言うのです。

Thank you.

Q 四つの言葉をすべて言わないといけないのでしょうか？

A そんなことはありません。

「ごめんなさい」「許してください」「ありがとう」「愛しています」の四つの言葉をいつもすべて言う必要はありません。

「愛しています」という言葉には、「ごめんなさい」「許してください」「ありがとう」という言葉の意味も含まれています。

ですから「愛しています」という言葉を言うだけで、四つの言葉すべてを言うことと同じ効果があります。

日本人の場合、特に男性の場合は「愛しています」と言いにくい方がいると聞きますので、その情報を消去してください。日本で初めてセミナーを開催したころは、「愛しています」という言葉が重すぎるということで、「大切だよ」という言葉を使っていました。

しかし現在では、クリーニングが進んだため、「愛しています」という言葉を違和感なく使えるようになりました。

I'm sorry.

Q　ネガティブな気持ちのままで言ってもいいのでしょうか？

A　けっこうです。

「ごめんなさい」「許してください」「ありがとう」「愛しています」の四つの言葉は、どのような気持ちで言ってもかまいません。ポジティブな気持ちだろうがネガティブな気持ちだろうがかまわないのです。

もし、「ネガティブな気持ちのままで言うと悪い結果が起きる」とか「ポジティブな状態でホ・オポノポノをしないと効果がない」と感じるのなら、それはその人が情報（過去の記憶）の再生の影響を受けてそう感じているのです。

きちんと情報を消去すればそのような思いはなくなります。

パソコンのデリートボタンを思い浮かべてください。デリートボタンを押すときに、ポジティブな気持ちで押すとより効果的に情報が消去されるでしょうか？　逆にネガティブな気持ちでデリートボタンを押すと消去されず情報が残るということが起きるでしょうか？　結果はどちらも同じはずです。消去したい情報が１００％消去されたはずです。

わたしたちは、ただデリートボタンを押すだけでいいのです。

Thank you.

Q 声は出したほうがいいのでしょうか?

A 静かに心のなかで唱えてください。

「ごめんなさい」「許してください」「ありがとう」「愛しています」の四つの言葉は、声に出すよりも、心のなかで唱えるほうがいいのです。

例えば、レストランで「愛しています」「愛しています」「愛しています」「愛しています」と言ったら、周りの人は皆、驚いてしまいます。

ホ・オポノポノには決められたルールというものがありません。なぜなら、人間が作ったルールに完璧なものはないからです。また、たとえ完璧なルールができたとしても、そのルールができた瞬間にそれはもう一つの情報になってしまうからです。

わたしたちは、その代わりにその都度、自分のなかに存在する「神聖なる存在(Divinity)」に直接どうしたらいいか聞くことができます。

人によっては、声に出したほうがいいというインスピレーションがやってくるかもしれません。そのときはそのようにしてください。時間、場所、環境などさまざまな条件によって、ホ・オポノポノの最適な方法が変わることはあるのです。

I'm sorry.

Q 言うときは何かイメージするのでしょうか？

A イメージする必要はありません。

「ごめんなさい」「許してください」「ありがとう」「愛しています」の四つの言葉を言うときには、何かをイメージする必要はありません。

わたしたちは、何か問題が起きている対象や原因に向かってホ・オポノポノをしたいと考えてしまいますが、実は、自分が気になっていることが原因で問題が起きているとは限らないのです。なぜならば、本当の原因というのは潜在意識のなかで起こってくる1秒間に1100万ビットの情報のなかにあって、どれが問題の本当の原因なのかわからないのです。それどころか、何が消去（デリート）されたかすらも気がつかないのです。

ですから、自分が気になっていることをイメージしても、それが本当の原因ではないことがほとんどなのです。

「ごめんなさい」「許してください」「ありがとう」「愛しています」と言うことで、その言葉の光が潜在意識に下りていって、その問題を作っている原因を探し出し、光を照らしてくれるのです。

Thank you.

Q 問題などネガティブなことは考えないほうがいいと教えられましたが？

A **そういう「思考」自体が問題なのです。**

「ごめんなさい」「許してください」「ありがとう」「愛しています」の四つの言葉を言うときに、何か問題が起きている対象や原因を考えてしまうので、問題を引き寄せてしまうのではないか、というのがこの質問の主旨だと思います。

ネガティブなことを思わない、しゃべらないとしても、実は、その背景にあるのはネガティブなものやその渦です。潜在意識のなかには1秒間に1100万ビットの情報が立ち上がっているのです。**ネガティブなことを考えない、言わないとしても、潜在意識のなかには存在しているのです。**ですから、問題は消去（デリート）するしかないのです。そして「ごめんなさい」「許してください」「ありがとう」「愛しています」という言葉は、少なくともネガティブな言葉ではないと思います。また、ホ・オポノポノではポジティブな考えも不要です。「期待」や「判断」はいりません。

ホ・オポノポノの本質的な目的は「自由」です。

I'm sorry.

ゼロというのは自由なのです。情報（過去の記憶）に対してホ・オポノポノの言葉を言うことによって、情報がゼロになるのです。消去（デリート）されて自由になります。ゼロには、いいも悪いもありません。ネガティブもポジティブもありません。ゼロのところで光が初めて差して、そこから自分が欲しいものがすべて与えられるのです。

光は常にわたしたちを照らしています。しかし、それを遮断しているのは自分自身＝自分の潜在意識の情報なのです。そしてホ・オポノポノの言葉を言うことによって、ブロックしている情報が消去され、光がまた差すのです。

ホ・オポノポノには、何も期待がありません。わたしたちが何かが必要だと思うところから苦悩が始まるのです。「苦」は、何かに執着して「欲しい」と思うところから始まるとブッダは説いています。

例えば、独身なので結婚相手が欲しいと思ったとします。ところが、ホ・オポノポノでクリーニングしてみたら、パートナーを必ずしも必要としていないということが出てくるかもしれません。「独身のままでも幸せ」ということが現れるかもしれないのです。

ゼロになるということは、欲しい欲望もなければ、必要なものもない、言葉に表せない状態のことです。

Thank you.

ホ・オポノポノ体験談3

精神病の兄はわたしの心の鏡だった！

株式会社テレナコーポレーション社長　河合政実

わたしには7歳年上の兄がいる。精神病にかかってすでに35年。医者からは「一生治らない」と言われている。

今から二十数年前、ノイローゼが原因で横浜駅の京浜東北線に飛び込んでしまった兄。幸い命はとりとめたが、両足を失ってしまった。精神と身体の二重の障害。今、わたしといっしょに暮らしている。

その兄の調子が２００８年10月あたりにとても悪かった。10年に一度くらい、そういう時期がくる。土曜、日曜とわたしが出張していたとき、事件が起きた。

日曜日に家内が寝坊して起きたところ、前日に作ったロールキャベツを鍋ごと全部食べてしまった。朝食が食べられないとパニックになってしまったらしい。家内がそのことで兄を怒ると、今度は冷蔵庫にあったかぼちゃの煮物を自分の部屋に持っていって、全部食べてしまった。兄は人工肛門なので、たくさん食べると下痢になる。

その状態で、火曜日にデイケアの作業所へ行ったところ、お昼にほかの障害者の方とケンカになったらしい。下痢なので「臭い！」と言われたのが原因のようだ。帰宅後、真っ暗な家のなかで、おとなしい兄が「バカやろう！」と大声で怒鳴っていた。「どうしたの？」と言っても部屋にこもって、出てこない。

そして、突然「夕飯、食べてない」とダイニングに現れる。家内が「さっき出したでしょ」と言っても、「食べていない」と言ってダイニングを離れない。仕方なく、ご飯を少しだけ食べさせた。

毎朝死んだ両親に二人でお線香をあげているのだが、翌朝も部屋から出てこない。「お父さん、お母さんにお線香あげないの」と聞くと、珍しく「嫌だ！」と言う。

わたしは、ホ・オポノポノの四つの言葉を心のなかで唱えた。すると不思議と心が落ち着き、あることに気づいた。そうなのです。兄はわたしの鏡なのだ。今の僕の心の状態を表しているのだ。

僕が小さいころ、とても優しいお兄ちゃんだったことを思い出した。そんな兄のことが大好きだ。「お兄ちゃん、どうか、長生きしてください。今までお荷物だとか、自分は不幸だとか、そんなことばかり考えてごめんなさい」と……。

そんな状態のなかで、わたしは日本初のホ・オポノポノのビジネスクラスを受けた。その2日目の朝に奇跡が起きた。兄が両親にお線香をあげてくれたのだ！　いつになく兄の表情が穏やかだ……。

そこで兄に尋ねる「お兄ちゃん、幸せ？」「幸せだよ」と兄。思わず耳を疑った……。精神的にも肉体的にも障害のある人間が「幸せ」ということがあるのだろうか……。でもそれは健常者であるわたしの勝手な解釈だったのだ。

ブルー・ソーラー・ウォーターをペットボトルに詰めて、最高の気分で家を出て、2日目のビジネスクラスへ向かう。東京駅に着いたときに、ふと気づいた。

兄はわたしの心の鏡だと思っていたが、実はそれだけではない。兄は、会社の守り神だったと気づいたのだ。わたしの会社は祖父が大正7年に創業して、戦後父が大きくした。本来だったら兄が跡を継ぐはずだったが、大学在学中に会社を継ぐという重圧から精神病になってしまった。そして数年後に飛び込み自殺を図り、両足を失ってしまう。そこで、わたしが兄の代わりに跡を継ぐことになった。兄は、わたしの身代わりになってくれたのだ。兄は、河合家の因縁を一人で背負ってくれたのだ。

つまり、うちの会社の守り神なのだと……。

I'm sorry.

会場まで、丸の内を歩く。休日の丸の内の朝は、実に静かで気持ちいい。街路樹のイチョウの木に「アイスブルー」とあいさつする。

午前中の休憩時間中にヒューレン博士の新刊にサインをしてもらいながら、今朝の出来事をシェアする。博士から喜びのハグ!!

そして、無事にビジネスクラスが終了。毎日その日の受注の報告が携帯メールに届くのだが、今日の受注は1日の受注件数としては、過去最高だった。

Thank you.

第4章

ホ・オポノポノが提示するビジネスの大転換

ホ・オポノポノ・ビジネスは最大の効率と利益を生む

ホ・オポノポノという癒しの秘法が、なぜ利潤追求のビジネスに結び付くのか、疑問に思う人もいるでしょう。

わたしは、世界的な経済危機に陥っている今こそ、ホ・オポノポノによるビジネスが注目を集めるのではないかと思っています。

実は、ホ・オポノポノこそが、ビジネスを最大限に効率よく運営し、最大限の利益を生み出す方法だからなのです。

ホ・オポノポノによるビジネスでいちばん大切なことは、「情報（過去の記憶）が消去（デリート）されてゼロの状態でいる」ということです。

ゼロの状態でいるということは、別の言い方をすると会社が明晰（clarity）な状態にある、ということです。つまり、**自分が誰であるかわかって、インスピレーションに満ちている、**ということです。そして、経営者と社員が明晰であれば、正しい情報が「神聖なる存在（Divinity）」から伝わることになります。

ビジネスが明晰な状態にあるということは、**各人の生産性が高く、各自が責任感を持っ**

て仕事をしている、ということです。また、スタッフすべてが同じ方向を向いて行動しており、インスピレーションに従って仕事をこなしているのが当たり前、ということになります。

ビジネスが明晰な状態にないならば、会社が無責任な状態にあるということです。当然のことながら生産性も低く、事業計画に縛られて、インスピレーションもやってきません。スタッフもそれぞれが勝手な方向を向いて、各自がバラバラに仕事をしているでしょう。

会社が組織として明晰な状態にあるということは、「相反するエネルギーが存在しない」ということを意味しています。

相反するエネルギーとは、例えば生産性を上げる動きと、コストを無視していいものを作るという動きのことです。あるいは、残業を減らそうという動きと、残業を増やしてでも仕事をこなそうという動きのことです。

相反するエネルギーは互いに反対の方向に向かうエネルギーであり、決して協力することがありません。

ですから相反するエネルギーがないということは、エネルギーの流れが一つの方向だけにある、ということなのです。

明晰でない状態だと自分はこっちに行こうとしているのに、それを止める別のエネルギーが存在することになります。**明晰な状態であれば、同じ方向を向いているのですべてがスムースです。正しい決断、正しい商品、正しい取引、正しい社員がビジネスに現れます。**

ホ・オポノポノによるビジネスを行えば、すぐに成果が出ます。

まず、**経費が大きく削減**されます。スタッフが同じ方向を向くということは、それだけ無駄がないということを意味します。生産性も高くなりますし、自然と物事が早く達成されます。

今、企業で何が起きているかというと、社員同士、社員と上司がもみ合う状態が起きています。相反する活動を社内で起こしていたり、異なる意見を抱えたまま表面上は意思統一がなされているかのように振る舞ったりしています。

今、企業で何が必要で大切かというと、全員が同じ方向を見て同じ道を進むことなのです。

こういうことを主張すると、現代の厳しい競争社会でうまくいくのかという声が出そうですが、わたしたちは決して競争社会と張り合うことを言っているのではありません。**社員の一人ひとりが「自分が自分である」ということを目指すべきだと言っているのです。**

すなわち、自分が自分らしくいることによって、自分の仕事も成長していくのです。そして、自分の会社の同業他社が同時に成長し、業界全体が盛り上がっていくことになるのです。

ホ・オポノポノによるビジネスでは、競争相手はいないのです。

ホ・オポノポノによるビジネスは Win - Win の関係なのです。

もし、自分のビジネスがうまくいっていないのなら、それはすべてあなた自身がブロックしているからなのです。光を自分でさえぎっているのです。

自分のビジネスが前に進もうとすることを止めているのは、同業他社ではありません。自分自身が妨げているのです。

I'm sorry.

●ホ・オポノポノで得られるビジネスメリット

ホ・オポノポノによるビジネスが何をもたらすか、例を挙げて考えてみましょう。

5人で会社を経営しているとします。例えばそのなかの一人に対して、わたしはその人の仕事が「嫌だ」と思ったとします。その瞬間に会社の動きはそこで止まってしまいます。光がブロックされ、会社の流れが滞ってしまうのです。

では、一体どうしたらいいのでしょうか？

こういう場合は、「自分の潜在意識のなかにある一体どんな情報（過去の記憶）がその人に対する嫌な気持ちの原因になっているか」を自分に尋ねるのです。そして、その部分を消去（デリート）すればいいのです。

そうすることによって、その人に対する嫌な気持ちの原因となっている潜在意識のなかの情報が消去され、その人のなかにあるわたしを嫌な気持ちにさせているすべてのことが消え去ります。

そうすれば、5人それぞれがインスピレーションを受けて、最も得意とする分野に関して自分の能力を再び最大限に発揮することができるようになるのです。

Thank you.

そして結果として、会社と個人のエネルギーは同じ流れとなり、５人は同じ方向を再び向いて進むことになるのです。

別の例を考えてみましょう。

５人がインスピレーションを受けて仕事をしているとき、一人の人がその会社で働く意欲を失ったとします。こんなときでも、「ほかに仕事がないから」「行くところがないから」とその会社にずっと居続けることになるのが普通の姿です。

ところが、ホ・オポノポノによるビジネスを行っていると、まったく異なった結果が起こってきます。

当初は会社の流れが止まってしまい、全員が閉じ込められている状態となってしまいます。しかし、過去の記憶を消去（デリート）し続けることによって、この会社で働く意欲を失った人は、自ら自分にとってふさわしい会社を探すようになり、やがて会社を自然に去ることになるのです。

そして、空いた席に最もふさわしい人が自然と現れてきます。

すると、全員が閉じ込められていた原因となっているブロックがはずれ、その会社に再び光が届くようになります。そして会社と個人のエネルギーは同じ流れとなり、新しいチームとなった5人は同じ方向を再び向いて進むことになるのです。

さて、二つの例を出しましたが、ホ・オポノポノによるビジネスで得られるメリットを挙げておきましょう。

①現状よりさらに効率よく、生産的に仕事をこなす

マニュアルやルーティンだけに頼らず、インスピレーションによってその場その場で最善・最適の方法を受け取り、それに基づいて行動するので、当然のことながら効率が上がり、生産性も向上する。

②インスピレーションによる創造力が高まる

イノベーション、クリエイティビティ、コラボレーションなど、インスピレーションからくる創造力が高まる。

③仕事上の問題を簡単に解決する

考えても解決策がわからない問題の原因となる情報を消去（デリート）できるので、仕事上の問題を簡単に解決できる。

④仕事上の問題解決には100%自分が責任を持つ

「すべての出来事は100%自分の責任である」と考えるのがホ・オポノポノの基本である。当然のことながら、自分の問題だけでなく会社に起きるすべての問題に対しても、100%自分が責任を持つ。

⑤適切で申し分のない取引関係を築く

後日、問題の原因となるような情報を作らないためにも、共存共栄の精神で、正しい適切な取引を行う。

⑥期待を手放すことでもたらされる、思いがけない理想的な結果を楽しむ

ゼロの状態にいるということは、ネガティブな考えだけでなくポジティブな考えもないということ。執着せず手放すことで、思わぬうれしい結果を生む。自分にとって必要な売上を達成するだけでなく、それをはるかに超えた素晴らしい成果を生むことができる。

⑦精神力を使って、明晰性や目的を達成する方法を身につける

ゼロの状態にいるということは明晰な状態にあり、精神力を遺憾なく発揮できる状態にある。情報を消去した知識を「知恵」として使う明晰性を持つばかりでなく、目的を達成するために何をしたらいいいか、最適な判断を下すことができる。

⑧真の自分自身を発見し、生まれ持った才能と仕事における目標を見いだす

ゼロの状態に立つことによって真の自分自身を発見し、天が与えた才能に気づく。そして、最も得意とする分野に対して自分の能力を最大限に発揮し、同時に天職に気づく。

⑨自身の計画、目標、決定、結果にさまざまな影響を与えている、潜在意識に刻まれたネガティブなプログラムを削除する

仕事にマイナスの影響を与えるネガティブなプログラムは、自分の潜在意識のなかの情報を消去（デリート）することによって削除できる。

⑩「わかっている」という思いを手放し、インスピレーションに従う

ゼロの状態にいるということは、正しいことも間違っていることも何もないということ。執着を手放して、インスピレーションに従って行動する。

⑪インスピレーションが導く理想的な課題解決のために必要な、開放的で柔軟な姿勢を身につける

ゼロの状態にいるということは、執着もなくすべてを手放しているということ。すなわち、開放的で柔軟な姿勢のことである。

ホ・オポノポノによるビジネスにはこのようなメリットがあります。

「本当にそんな簡単にいくのか？」と疑問に思う方がいるかもしれません。

しかし、ホ・オポノポノをビジネスに応用することによって、素晴らしい結果を出している人は、世界中に、そして日本にもたくさんいます。それが現実なのです。

I'm sorry.

そして、その「期待」も消去してください。それがホ・オポノポノによるビジネスなのです。

●会社の情報を消去する

ビジネスにおいて何か問題があったら、**「この問題はわたしの記憶のうち、どの部分の記憶が引き起こしているのだろう」**と自問し、四つの言葉を心で唱えて過去の記憶を消去(デリート)します。問題が特になくても四つの言葉を日ごろから唱えるのが、ホ・オポノポノによるビジネスの態度です。

さらにビジネスにおいては、**情報のクリーニングの枠を自分から広げて、会社の同僚、上司、部下、取引先、銀行などに拡大します。**すると、ビジネスにまつわる会社全体の情報が消去(デリート)されることになります。机、パソコン、床、壁、天井などに現れている、すべての情報がクリーニングされ、消去されるのです。ただ情報を消去する。それだけで会社が、ビジネスが変化するのです。

会社も宇宙と同様、情報で成り立っているからです。

Thank you.

もし会社経営をしていて、仕事がうまくいかないのならば、その原因は一つだけです。その原因とは、「会社が古い情報に満たされている」ということです。消去されていない情報がたくさんあるのです。会社のなかが古い情報で満たされているかぎり、そこにはブロックができてしまい、光は届きません。

古い情報に囲まれながら仕事をこなしていくには、非常に体力と精神力が必要になります。本来の仕事に使うべきパワーを浪費することになりかねません。

この会社に残る古い記憶はどうやって消去(デリート)すればいいでしょうか?

ハワイの州立病院の特別病棟と同じで、一人がしっかりクリーニングすればいいのです。

何も経営者に限りません。一人のスタッフが、会社に対して100%の責任を持ち、古い情報を消去すればいいのです。

「古い情報をわたしは自分の潜在意識のなかから消去します」と。

I'm sorry.

●マネジメントは本当に必要か？

ビジネスというと「マネジメント」のことだと思う人もいるでしょう。上司は部下を管理し、売上を最大化するのを目標としています。

しかし、マネジメントは本当に必要なのでしょうか？

管理職は必要なのでしょうか？

人はそもそも誰かに管理されたくはないはずです。管理されたいと思う人がはたしているでしょうか？

上司に、

「あなたのことは100％信頼していません」「あなたには任せることはできません」「あなたを管理します」「あなたを見張っています」

と言われるよりも、

「あなたを信頼しています」「あなたに任せます」「あなたを素晴らしいと思っています」「あなたの仕事が好きです」

と言われるほうが、どれだけやる気が出るでしょうか。

Thank you.

あなたが管理職で、部下に不満があるとします。そのとき「何がわたしのなかにあって、スタッフたちは職場に不満があるのだろう」と自分に問いかけ、それをクリーニングしていきます。それが消去できれば、スタッフたちは情熱を持って職場で時間を費やそうとするでしょう。

管理職の仕事は部下へのアドバイスだと思っている人が多いようですが、アドバイスはあまり効果的ではありません。なぜならば、アドバイスは相手には聞こえないからです。

「聞こえない」というよりも「聞きたくない」というほうが正確かもしれません。

甥や姪に向かって何かアドバイスを言ったとしても、そのアドバイスを聞き入れることはまずないでしょう。

それよりも甥や姪のことで何か気になることがあれば、そのことをクリーニングするほうがずっと効率的です。そうすれば、甥や姪は自分たちの進むべき道＝正しいことに自分で気づくことでしょう。

このように、自分がゼロ（悟り）の状態になれば、部下もゼロに立つので、一番いい情報をお互い直接受け取ることができるようになるのです。

ここで、管理職の仕事について例に基づいて考えてみましょう。

例えばあなたが管理職で、ある部下がやっている行動が気に入らないとします。「あいさつをしない」に始まり、「仕事の効率が悪い」とイライラし、最終的には「営業成績が悪い」と思っているとしましょう。

しかし、この問題の原因は、実はその部下にあるのではなくて、あなた自身にあると言われたらどうでしょうか？

ホ・オポノポノでは「他人に起きていることも含めてすべての出来事は１００％自分の責任である」という考え方に立ちます。「１００％自分の責任」という考えに立てば、「あいさつをしない」「仕事の効率が悪い」「営業成績が悪い」という部下が現れた理由は、すべてあなたにあることになるのです。

そこで、あなたは自分に問いかけをするのです。「一体、自分の潜在意識の情報のどの部分に問題があって、彼にこのような問題を起こさせているのだろうか」と。

そしてその情報をホ・オポノポノの四つの言葉を使って消去（デリート）するのです。

すると、その部下は翌朝あなたに「おはようございます」と言うかもしれません。そして、よくよく考えてみると彼は仕事の効率が悪いのではなくて、ただ仕事の進め方が慎重なだけだったのだということにあなたは気づくのです。しばらくすると、今度は彼の営業成績がみるみる伸び始めるのです。

あるいは、その部下は人事異動でほかの部署に異動になってしまうかもしれません。代わりに、その職務にふさわしいと思える人が現れることになるでしょう。

管理職であるあなたは、部下につきっきりになって指導をしたり、部下の誰かを辞めさせたりすることをしなくても、スタッフが自然と仕事ができるビジネスパーソンとして現れてきたり、思わぬ人事異動があったりするのです。

この例でもわかるように、**自分がゼロの状態になれば、仕事ができないと思っていたスタッフが有能な人材として現れてきたり、ふさわしい人材が自然と異動してきたりするのです。**つまり、自分の周囲にふさわしい人材が集まることになります。

そのために必要なことは、二つだけです。

一つは、**「自分の部署で起きていることはすべて100％自分の責任である」**という立場をとることです。

もう一つは、**自分の部署にある古い情報をクリーニングすること**です。「この部署で起きている問題は一体、わたしの潜在意識のなかのどの情報に原因があるのだろうか」と自問しながら、情報を消去（デリート）するのです。

そして、管理職であるあなたが自分自身のことを深く愛して慈しめば、あなたの部署全体にもその輪が広がることでしょう。

結果として、部下たちがあなたを尊敬し、あなたを愛してくれることになるのです。

これこそ真のマネジメントなのではないでしょうか？

●事業計画は本当に必要か？

現代の企業経営の根幹となるものは「事業計画（ビジネスプラン）」であるといわれています。

大企業で事業計画を策定していない会社はありませんし、銀行に融資を申し込む場合に必ず提出するようにいわれるのが事業計画です。

日本の元銀行員の方から聞いた話ですが、中小企業の場合、その会社の事業計画がしっかりとしているかどうかで、融資の金額の上限が決まるそうです。

それほど経済界で重要視されている事業計画ですが、本当にそこまで必要なものなのでしょうか？

わたしたちの人生には予想できない出来事が数限りなく起きています。そして、それが自然の流れだと思います。

人生も会社も同じです。予想できないことは起きるものなのです。

でも、そうなってから「どうして？」「なぜ？」と慌ててももう遅いのです。起きてしまったことは変えることができないのです。

わたしたちには見えなくとも常に動いている宇宙のエネルギーをクリーニングしていくことによって、予期せぬ出来事が楽に流れていくようになるのがホ・オポノポノの方法です。

わたしたちの意識のなかでは、スピリチュアル（霊的）、メンタル（精神的）、フィジカル（物質的）の三つの動きがあり、層になっています。

しかし、法人＝会社のなかでは、具体的に数字で計ることのできる売上や利益のようなフィジカル（物質的）なことしか扱っていないので、スピリチュアル（霊的）、メンタル（精神的）な分野で何が起きているかということを予想することは、ときとして非常に難しいのです。

これに対して、ホ・オポノポノでは、スピリチュアル、メンタル、フィジカルの三つを同時に扱っています。

例えば潜在意識のなかの情報を消去してインスピレーションがやってくるのは、スピリチュアル（霊的）な分野のことです。「すべての出来事は100％自分の責任である」とするのは、メンタル（精神的）な分野のことだといえます。また、日本ではセミナーのなかでしか紹介されていないのですが、「フィジカルバランス」というエクササイズ（運動）があります。これはまさにフィジカル（物質的）な分野のことです。

このように、ホ・オポノポノでは、売上、経費、利益のような物質的な分野だけでなく、霊的な分野と精神的な分野も同時に扱っているので、事業計画にない予期せぬ出来事が発生しても十分に対処することができるだけでなく、新しい流れを予想することもできるのです。

これに対して物質的な分野＝数字の分野だけから会社を経営すると「事業計画に従わなくてはならない」という思い込みがビジネスの展開の幅を狭めてしまうことになりかねません。

ですから、**わたしは基本的に事業計画は作成する価値はそれほどないと考えています。**たとえ事業計画を作成するとしても、大切なのはどういう動機で事業計画を作るかということです。

インスピレーションを受けて何かを作り出すところから計画をするのか、それとも、事業計画を作成するのが当たり前のことだから計画を作るのか、そこが大きなポイントであり、分かれ目だと思うのです。

作成しなければならないというところから事業計画を作成するならば、一体どうなるでしょうか？　はたして事業計画は効果的な働きをするでしょうか？

答えはノーです。だから現在の未曾有の経済危機が起きているのです。

わたしは、もし事業計画が本当に効果的な機能を果たしていたとするのならば、現在のような世界的な経済危機は起きていなかったのではないかと考えているのです。事業計画に固執するあまりに、予想外の事態が発生した場合の対処の仕方が誰もわからなくなってしまったのです。

だからといって、わたしは「直ちに事業計画の作成はやめなさい」と言っているのではありません。

企業で働いていて、事業計画を作らなければならない環境にあるのなら、事業計画を作成するようにしてください。わざわざ企業のなかで波風を立てる必要はないのです。企業のなかに事業計画という文化が存在しているのなら、それに沿ってやっていけばいいのです。

ただし、事業計画を作成している工程のなかで情報のクリーニングをすることを忘れないようにしてください。事業計画を成功させるうえでも、情報の消去（デリート）を続けることが最も大切なことなのです。

●ホ・オポノポノから新しいビジネスが生まれる

ホ・オポノポノを通じて、わたしたちはすべてをゼロの状態に戻すために、情報の消去（デリート）を日々行っていても、新しい産業を生み出したり、商品開発をしたりするような、創造的な役割を果たすのは難しいのではないかと思うかもしれません。

しかし**ホ・オポノポノは、新しい産業を生み出すような想像力あふれる分野でこそ、その本領を発揮できる**のです。ゼロこそ、すべてを生み出す源なのです。

例として、農業や食品産業の分野で、ホ・オポノポノを適用するとどのようなことが可能となるか考えてみましょう。

ホ・オポノポノにはさまざまなクリーニングツールがあり、持っているだけで効果があるものや、イメージするだけで消去できるものがあります（付録I参照）。

ホ・オポノポノに基づけば、食べるだけでクリーニングが自然に行われる食料品を開発することが可能となります。実際のところ、現在そのような食料品の開発に興味を持っている起業家たちが世界中に現れ始めています。

もし、食料品に関する新しい産業が始まると、その革新的な食料品を運ぶための新しい流通網が必要となります。さらにはその流通を支える独自のコンピューターシステムが開発されるでしょう。そして、その食料品を海外に輸出するとなれば、輸出に関する新しいサービスがまた生まれることになるのです。

このように、新しく社会に登場する食料品に関する一つの産業にすぎなくとも、それに関連する新しい形態の産業が次から次へとその周辺に広がっていくことになるのです。

まだ試作段階ですが、健康食品を冷蔵庫で育てるための技術も開発されています。

例えば、**もやしのような植物を育てて、自分が食べるだけの量をそこからとります。と**

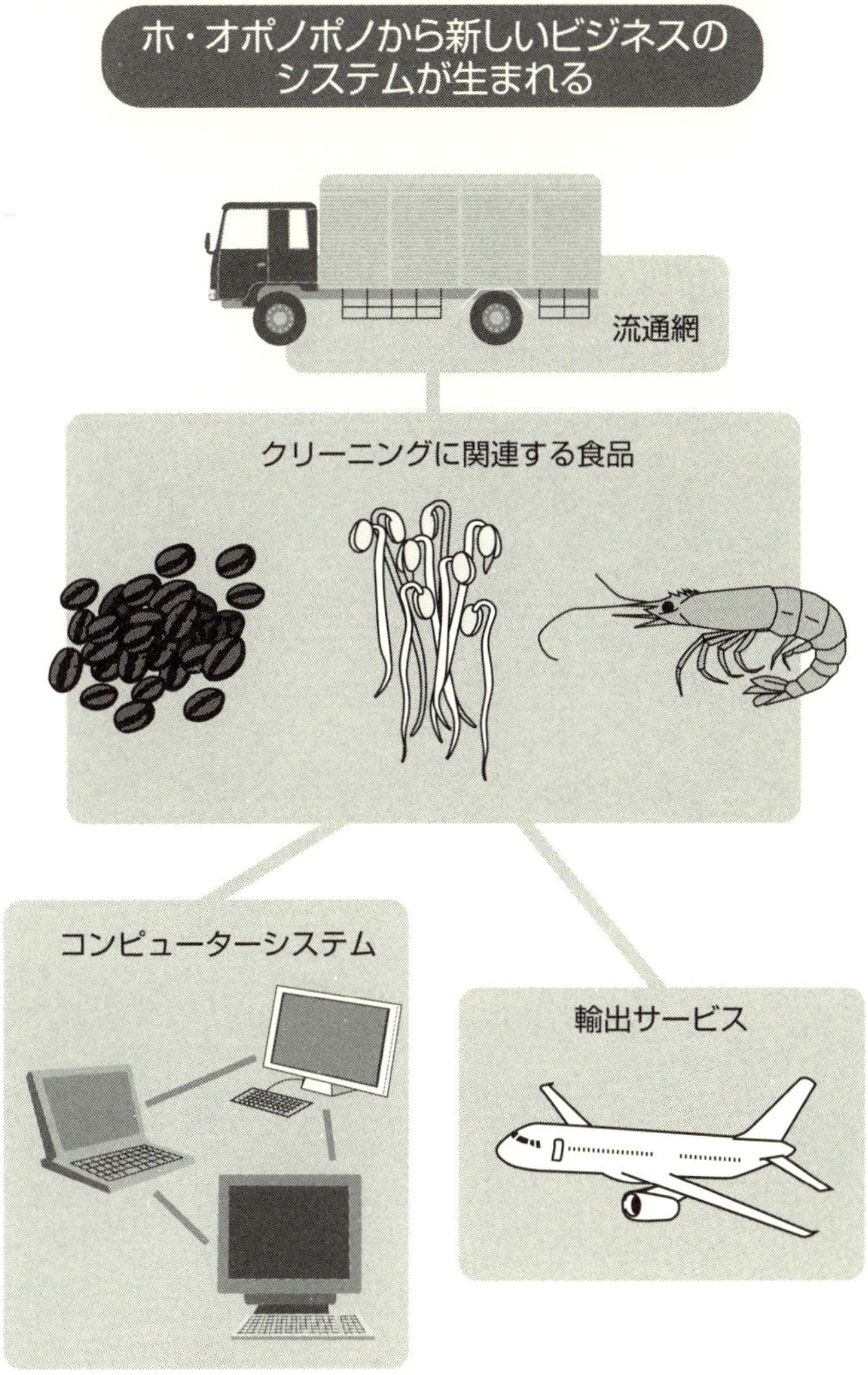
ホ・オポノポノから新しいビジネスの
システムが生まれる
流通網
クリーニングに関連する食品
コンピューターシステム
輸出サービス

ころが、また翌朝になるとその植物が生えている……というような画期的な技術が研究中です。

では、実際のところは具体的にどんな植物なのかと聞かれれば、それはクリーニングしないと見えない、としか言えません。

とはいうものの、食べるだけでクリーニングできる食料品のうち、わたしはいくつかを知っています。実は既に16品目以上存在しているのです。人類にとって、とても大切な食べ物となることでしょう。

では、どのような食べ物かといえば、その食べ物を食べると、本当の自分に気づくというものです。例えば**小エビですが、そのエビを食べるだけで、アルツハイマーや統合失調症などの情報（過去の記憶）を消去（デリート）できます。**

近い将来、**コーヒーを飲むだけで情報を消去（デリート）してくれて、飲んだ人の頭がはっきりして自分が誰だかわかる**という時代がやってきます。そうしたら、ものすごいことが世界に起きるのです。ちなみに、このコーヒーの開発にあたっては、土地、土、水、種などをクリーニングするところから、事業を始めています。

これは、農業や食品産業に関する例ですが、まったく新しいビジネスモデルです。完全にゼロの状態からのビジネスだと思います。

このように、ホ・オポノポノから新しい分野の産業が生まれたり、既存の産業の新しい製品が生まれたりする可能性は十分あるのです。

でも、そのためにはわたしたちがゼロの状態にいる必要があります。なぜなら、**会社やビジネス自体にも意識があり、わたしたちが邪魔をしなければ、会社やビジネス自体がするべきことを勝手にやってくれるのです。**

必要な人材、資金、技術などは自然と集まってくるのです。つまり、起きるべきことが起きてくるのです。

そのためには、「神聖なる存在（Divinity）」からインスピレーションがいつでもやってくるように、日々クリーニングをし続けるしか方法はありません。

「ごめんなさい」「許してください」「ありがとう」「愛しています」のホ・オポノポノの四つの言葉を心のなかで唱えて、わたしたちの潜在意識のなかにある情報を常に消去し続けるのです。

ホ・オポノポノ体験談4

ホ・オポノポノ効果で過去16年間で最高の売上を記録

住友生命保険相互会社　支部長　廣瀬泰彦（仮名）

大手生命保険会社で支部長をしています。

現在の支部に約16年在職していますが、5～6年前から支部内での人間関係がスムースにいかなくなり、なんとかしなくてはといろいろな本を読み、いいと言われることはなんでも実践してきました。

ところが抜本的な解決には至らず、特に2年くらい前からは人も減り、売上も減少し続けてきました。

そんなとき、ジョー・ヴィターリ博士の「引き寄せの法則」関連の本のなかにホ・オポノポノに関する記述があり、早速、本を購入し、何回も何回も読み直し、これこそが長年求めていたものだと、目からうろこが落ちました。

もっと詳しく勉強したいと思い、ホ・オポノポノのホームページを見ると、2ヵ月後に東京で日本で初めてのビジネスクラスがあることを知り、即、申し込みました。

受講料を振り込んで1週間くらい過ぎたころから、仕事に関していいことがどんどん起こってきました。

1年以上面談できなかったある経営者の方とやっとアポがとれ、即決で大変大きな契約を3件もいただきました。

人間関係もスムースになってきて、成果も着々と上がってきました。

そして、２００８年10月12～13日のセミナーを受講。こんなシンプルなことだけで本当にいいのかなと、まだ半信半疑でした。

でも、ヒューレン博士から出ているオーラでしょうか、「この方にだったらついて行ける」という安心感もあり、トコトンやっていくことに決めました。

セミナー後に「11月生命保険の月」という強化月間があり、11月の売上としては過去16年間で最高の売上を達成することができました。

実際にはわたし自身が考えて動くということはあまりなく、やっているのは毎日のクリーニングのみ。なぜ売上が上がるのかとても不思議な感じがしました。

1ヵ月間の運営のなかで途中４回の節目締め切り、そして最終締め切りと合計５回の締め切りがあります。

その節目節目の締め切りの日に、営業員さんが不思議と大きな契約をいただいてくるのです。その日の朝までまったく見込みのなかった人が急にお客さまから電話があって契約になるなど、ラッキーなことが続くのです。

締め切りごとに理想的な形で数字が出る、こんなパーフェクトな重要月は初めての出来事でした。

その翌月も同じような状態が続いていて、もうビックリです。

これはもうホ・オポノポノのおかげというほかありません。

先日もホ・オポノポノ効果がありました。

ある新人さんと同行し、契約をいただけると確信して訪問したのですが、あっさり断られてしまいました。

その新人さんは最終締め切り日に成績が0だったので、何とかしたかったのですが、最後はホ・オポノポノを実践する方法しか残っていませんでした。

そのお客さまの家を出たあと「わたしの潜在意識のなかにある契約を断られた原因となっている記憶を消去してください」「ごめんなさい、許してください、愛しています、ありがとう」と、そんなうまくいくはずはないと思いながらもやってみました。

I'm sorry.

すると1時間後に事務所にそのお客さまから電話があり、やっぱり契約しますと。

さんざん粘ったあげく断られた方が、1時間後にOKになるなんてめったにないことです。

そのあとも数多くの「まさか」が続いていて、とても不思議な気持ちです。

実際にわたしが行っているのはこんなことです。

・毎朝社員の出勤前に、一人ひとりのイスに座り、クリーニング。そのさい、それぞれの机とイスにも本人の応援を依頼しています

・事務所の土地、建物、会社自身、会社のなかの部屋にも話しかけてクリーニング

・事務所にとっくり椰子《やし》を置いている

こんな実践が大きな驚くような出来事を起こしています。本当に不思議な気分です。

Thank you.

第5章

ホ・オポノポノがビジネスを成功させる

●会社自体をクリーニングする

ホ・オポノポノでは、自分に起きてくることだけでなく、他人を含めて世の中に起きてくるすべての出来事についても、「100%自分に責任がある」という立場をとります。「100%自分に責任がある」ということに気づけば、その瞬間に世界は違ったものに見えてきます。つまり「100%自分の責任」とは、「すべてをそのまま受け入れる」ということなのです。他人の人生を含めて、すべての出来事は自分の人生のなかに起きていると解釈することができます。

「100%自分の責任」ということに気づけば、家族との関係も、お金との関係も、人間関係も、そして会社での仕事もこれまでとはまったく別のものとなります。なぜならば、原因がすべて自分のなかにあれば、それを転換することが可能となるからです。すべての源は自分にあるのです。ある意味で、無限の可能性を持つゼロの人生を手に入れたとも解釈できます。

ビジネスに特化して考えてみると、ホ・オポノポノによる理想の会社とは、実は自分のなかにあることに気づくでしょう。

ですから、「100%自分の責任」というところに立ちさえすれば、会社のオーナーや経営幹部でなくとも、社員であっても一人のアルバイトやパート従業員にすぎなくとも、ゼロの状態にある会社＝理想の会社を作り上げることができるのです。

会社を理想の会社にする、すなわち会社をゼロの状態に戻すためには、会社自体、経営者、社員、アルバイトなどの構成員はもちろんのこと、会社の所在地の土地・建物、取引先など会社に関係するすべての人格・法人格の情報を消去（デリート）することが必要です。

皆さんは驚かれるかもしれませんが、**会社にも人格があります。**会社自体が本来悟っている存在ですから、会社が本当は何をしたらいいかわかっています。ですから、わたしたちが執着を捨て手放したら、会社が勝手に注文をとって売上を伸ばしてくれるのです。

ところが、そこで働いている経営者やスタッフのさまざまな執着や苦しみが会社自体を苦しめています。ですから、その情報（過去の記憶）を消去（デリート）して、解放してあげる必要があるのです。つまり**「自分の潜在意識のなかにあるどの情報がわたしの会社を苦しめているのだろうか」**と自分自身に問いかけ、それを消去（デリート）するのです。

そして、当然のことながら**そこで働いている経営者やスタッフ自身の情報を消去（デリ**

ート）して、ゼロの状態にする必要があります。つまり**「自分の潜在意識のなかにあるどんな情報がわたしの会社の経営者やスタッフを苦しめているのだろうか」**と自分自身に問いかけ、クリーニングするのです。なお、会社で出会った人たちは偶然出会ったのではありません。わたしたちがクリーニングする必要があることを気づかせてくれるために、出会ったのです。

ここまでくるとあなたの会社もかなり楽になり、ゼロの状態に近づいていることになりますが、まだ道半ばです。

次に、**会社の本社や支店のある土地と建物のクリーニングを行いましょう。**

会社の土地や建物は、過去から現在に至るまでそこで働いていたスタッフたちのさまざまな執着や苦悩で苦しんでいるかもしれません。あるいは、数百年前の戦争や争いでの憎悪や恐怖の念がそのまま残され、それで土地が苦しんでいるのかもしれません。その過去の記憶を消去（デリート）するのです。つまり**「自分の潜在意識のなかにあるどの情報がこの住所（住所を心のなかで読み上げます）の土地と建物を苦しめているのだろうか」**と自分自身に問いかけ、クリーニングするのです。

重要なのが**取引先のクリーニングです。特に取引銀行のクリーニングは大切です。**

すべての取引先の会社の情報を消去（デリート）するのです。つまり**「自分の潜在意識のなかにあるどの情報がこの会社（会社名と本社住所、担当者の名前を心のなかで読み上げます）を苦しめているのだろうか」**と自分自身に問いかけ、消去（デリート）するのです。

クリーニングの方法に慣れてきたら、紙に書いた社員名簿、営業所一覧表、取引先リストなどを目で追ったり、消しゴムつき鉛筆の消しゴムでなぞったりするだけでも同じ効果があります。

さて、クリーニングをしないで取引先と取引をしていると、取引先の情報を共有してしまう可能性があります。取引先の会社の情報は取引先の社員や製品に共有されています。ですから、取引先の社員と接していたり、取引先の商品を仕入れたりしていれば、取引先の情報を共有してしまいます。これは誰かに風邪をうつされるのと同じ仕組みです。困ったことに取引先が赤字や資金繰りが苦しいとその情報が共有されてしまいます。ですから常にクリーニングをする必要があるのです。

巨額の利益を出している優良企業を取引先としている企業の多くが優良企業です。一方、赤字会社の下請けのほとんどがやはり赤字会社となっています。これは単なる偶然ではありません。その違いは共有している情報が「黒字」か「赤字」かの差なのです。

I'm sorry.

しかし、取引先の情報を常に消去（デリート）していれば、取引先の問題は消えていきます。クリーニングをさらに続けて、自分の会社のゼロの状態が続いていれば、やがて取引先の情報も消去（デリート）されて取引先もゼロの状態となります。光が届くゼロの状態になれば、お互いに成長して向上し合う関係となり、そこに利益が生まれます。

この取引関係を日本では「共存共栄の関係」とよんでいると聞きました。

わたしは経営者にとって最も大切な仕事は何かと尋ねられたら、迷わず「会社をクリーニングすることです」と答えるでしょう。それくらい重要なことですし、読者の皆さんもおそらくその重要性を理解されたものと思います。

しかし、会社のクリーニングは何も企業オーナーや経営幹部だけのものではありません。管理職も、一般正社員も、派遣社員も、アルバイトやパートであっても、会社をクリーニングすることは同じように大切です。むしろ、無責任な経営者よりも、真面目なパート従業員さんのほうが会社のクリーニングをするのはうまいかもしれません。

ポイントは「１００％自分の責任である」という立場に立つか立たないかにかかっているのです。まずそれぞれがクリーニングをしっかりやりましょう。それから各自がするべき役割の仕事を各自の職場で全うすればいいのです。

Thank you.

●本当のリーダーシップとマネジメントとは？

「人を活かす」「人材活用」という言葉が氾濫していますが、**ホ・オポノポノでいう「人を活かす」とは「人を本来の状態に戻す」＝ゼロの状態になるということを意味しています。**

宇宙は完璧に創られています。そして宇宙の一員であるわたしたち人間も完璧な存在として創られているのです。

もし自分が欲しいもの、ふさわしいものが自分の手元に今ないとするならば、それは光をさえぎっている情報が原因です。ところが、その情報を作っているのは、皮肉なことにわたしたち自身なのです。

わたしたちは問題が発生すると、父親や母親、知人や友人、学校や会社、会社の同僚や上司、はては国の教育制度から経済政策に至るまで、すべて自分以外のもののせいにしがちです。

同じように、もし会社がうまくいっていない、自分が望んでいる状態に会社がなっていないとするならば、それはあなたが作っている情報が原因なのです。問題が起きているとするならば、それはスタッフやマネージャーや経営幹部、ライバル企業や業界、行政や政府の責任ではないのです。

問題を分析しても何も解決されません。せいぜい役に立たない机上の事業計画を練り直したり、スタッフのやる気をそぐマネジメントの強化プランを作成したりするのに役立つぐらいでしょう。

もし、会社でリーダーシップを発揮したいのなら、わたしは「100%責任をとる立場」をとることこそ、本当のリーダーシップではないかと思います。すなわち、すべてに対応する(respond)ということです。

会社の業績不振の責任を誰かに押しつけたり、責任追及したりするのではなく、自分のなかで一体何が起きているのだろうかと見るのです。それが真のリーダーであり、リーダーシップなのです。

100%責任をとってくれるリーダーが会社に一人でもいれば、人の管理などする必要はありません。マネジメントは不要なのです。

そもそも管理されるのが好きな人がいるでしょうか? 「あなたを管理します」と言われてうれしい人がいるでしょうか?

わたしは、リーダーが１００％の責任をとることを放棄するために、人を管理するということを始めたとしか思えません。スタッフが聞きたいことは「１００％あなたを信頼します」というリーダーの言葉ではないでしょうか。

マネジメントを実施するということは「あなたは信頼できません」という言葉と同じ意味を持つのではないか思います。まったくの逆効果です。

わたしたちは、なにも賢くなる必要はないのです。心が純粋であればいいのです。

例えば、わたしは大学に行って博士号を取得していますが、たくさんの「知識」を得ることはできましたが、「知恵」は与えられませんでした。大学に行っていろいろなビジネスに関して学んだとしても、それは「知恵」ではなかったのです。ただ「知識」を詰め込まれただけなのです。

「知恵」というのは、過去の記憶の再生からくる情報ではなく、ゼロからやってくる情報なのです。ゼロからしか、「神聖なる存在(Divinity)」からしか得られない情報こそ、わたしたちが欲しい情報＝「知恵」なのです。そして、それはわたしたちのなかに本来あるものなのです。しかも「知恵」は無料なのです。

ホ・オポノポノは、経営者、マネージャー、スタッフ、取引先、土地、建物など会社全体を常にクリーニングしてゼロの状態にしてくれる方法を提供してくれています。つまり、わたしたちが本来持っている「知恵」を最大限に引き出す環境を整えてくれているのです。すべての問題の原因は情報(過去の記憶)にあります。その情報があなたに相手の問題を見せているだけなのです。

だから情報があるかぎり、相手のことをあるがままに体験することはできないのです。責任が相手にあると思うのなら、本当の姿はあなたには見えません。

ビジネスは、自分一人でやるものではありません。いっしょに仕事をする仲間がいて初めて会社という組織になるのです。会社は一つの家族なのです。だからチームワークというのです。

実は責任は常にあなたのなかにあるのです。その責任を100％果たそうと決意したとき、その人はリーダーとなるのです。それはどんな役職であろうが立場であろうが関係ありません。

そしてその責任を果たす唯一の条件は、いつも自分をクリーニングし続けるということです。

●ホ・オポノポノで医療負担が減る

ホ・オポノポノは、健康にも役立ちます。

実は、病気の原因の多くが潜在意識のなかの情報（過去の記憶）が現実の社会に投影されて引き起こされているからです。

それどころか、人がゼロの状態に常にいて、すべてを受け入れて生きていれば、病気になることはありません。

逆に、**情報に洗脳されて、「こうでなければならない、ああでなければならない」という生き方をしていると病気になってしまう**のです。

また、自分の潜在意識が持つ病気自体の情報が再生して病気を引き起こすのです。

したがって、ホ・オポノポノによって会社をクリーニングすれば、医療関係の経費を大幅にコストダウンすることができます。

具体的には、経営者または社員、または会社自体にクリーニングの方法を教えれば、医療保険に多額のお金をかけなくて済みます。なぜならば、糖尿病などの成人病の発生率が大幅に低下するからです。

ハワイ大学での臨床データによれば、高血圧の患者を二つのグループに分け、一つのグループだけホ・オポノポノの半日コースを受けてもらいました。その結果、**ホ・オポノポノのコースを受けたグループの高血圧の数値が非常に改善された**のです。

アメリカでは、企業の売上の10～15％程度が社員の健康維持のための予算としてプールされています。つまり、企業の売上の10～15％が医療関係の経費として使われているのです。

これはよくよく考えてみると大変な損失です。このコストを削減できれば、その分がすべて利益となるのですから。

高血圧に対してのホ・オポノポノの有効性について、ハワイ大学のキキパ・クレッツァー博士のチームが臨床データをもとに発表をしていますので、紹介しましょう。

◎高血圧症に対する補助的治療としてのセルフ・アイデンティティ・ホ・オポノポノの有効性

(Self Identity Through Ho'oponopono as Adjunctive Therapy for Hypertension

Management by Kikipa Kretzer, PhD., James Davis, PhD., David Easa, MD., Julie Johnson, PhD., Rosanne Harrigan, EdD.)

ホ・オポノポノによるビジネスで、医療関係の経費を大幅にコストダウンできる可能性を示唆する例として、この論文を参考にするといいと思います。

この研究に参加された方は、ハワイ在住のアジア人、ハワイ人、その他太平洋諸島系民族の人たち総勢23名で、チラシ配布、各市民集会での公表、口頭または電話による伝達、インターネット掲示、地域イベントでのブース設置などを実施して、公募された人々です。

そして、参加者はホ・オポノポノの半日学習コース（4時間）を受講してもらいました。コースはそれぞれのセルフ・アイデンティティ（自己）を理解することを通して平衡感を自身の内に築き、ストレスを正しく見ることについて学ぶものでした。さらには「悔悟し、許し、変換する」という問題解決のためのプロセスを学ぶと同時に、日常生活にそのプロセスをどのように取り入れていくかについて学んでもらいました。

参加者は学んだことを日常生活に取り入れることもできると伝えられましたが、コースの受講後についてては、ホ・オポノポノについて復習するよう求められることも、調べられることもなく、各参加者の自主性に任されることとなりました。

参加者はホ・オポノポノの半日学習コースの受講前と受講後に繰り返し血圧を測定し、結果をGEE（一般化推定方程式）により比較しました。

血圧測定はおよそ1週間間隔で9回行われました。実験前血圧測定は研究参加者の登録時で、ホ・オポノポノの半日クラス受講の45日前です。受講2ヵ月後まで追跡調査を行いました。

その結果、受講後2ヵ月後の最高血圧は受講前に比較して平均11・86㎜Hg低い数値を示しました。また、受講後2ヵ月後の最低血圧は平均して5・44㎜Hg低い数値を記録したのです。

ハワイ大学のキキパ・クレツァー博士の論文の結論は次のようになっています。

「ホ・オポノポノには統計的にも臨床的にも平均血圧を顕著に低下させる効果が認められた。また、生活のなかに簡単に取り入れやすく、低コストで内容を理解しやすく、肉体的、社会的なリスクも伴わない。高血圧症、高血圧前症患者の血圧安定に効果があると同時に、実践する人にいっそうの安らぎを与えることができる。高血圧症に対する効果が期待されるだけでなく、他の健康状態にも有益な効果をもたらす可能性がある」

このように、ホ・オポノポノを活用することによって、個人の健康維持に役立つばかりか、企業の医療費のコストダウンにも寄与するのです。

●女性が幸せなら会社も経済もうまくいく

現在、世界的な経済危機が発生していますが、女性が幸せだったらこのような現象は起きていないでしょう。

もし、女性がゼロの状態にあるのなら、世界経済はすぐに回復に向かいます。ですから、本当は数千億ドルもの景気対策など必要ないのです。

経済問題というのは、経済自体が原因になっていると思いがちですが、**今回の世界の経済危機は、実は女性が愛されている、大切に思われているということを感じていないことがその原因なのです。**女性の男性に対する恨みや憎しみの大きな「塔」が世界中に立ち始めているのが原因で、世界経済がおかしくなっているのです。

「女性の問題と世界の経済問題とは関係ない」「女性の男性への恨みと経済とが一体どうリンクするのか」と反論する方がいるかもしれません。しかし、ぜひ次のように考えてみてほしいのです。

家庭というものは父親と母親と子どもで構成されています。父親が不幸であっても、母親が不幸であっても、あるいは子どもが不幸であっても、家庭全体が幸せということはあり得ません。母親が幸せだと感じていないのに、幸せな家庭があろうはずはありません。なぜなら家族の誰かが不幸と感じていれば、クリーニングをしないかぎり、その情報が家庭それぞれの構成員であるそのほかの家族に広がるからです。

今度はその単位を地球全体に広げて考えてみましょう。

人類の半数は女性です。その女性が幸せでないと感じ、人類の残りの半数の男性に対して恨みを感じていたらどうなるでしょうか。とても恐ろしいことが起きます。それが今起きているのです。

女性たちが感じている情報が男性はもちろんのこと、世界全体に広がっていくのです。嘆き、悲しみ、恨み、怒り、無力感などのあらゆるネガティブな感情が一つの情報のかたまりとなって、世の中の男性たちに広がっていくのです。

女性たちだけでなく今度は男性たちも加わって、世の中の会社に、政府に、そして世界中の国々にネガティブな感情が広がっていきます。世界経済も多大な影響を受けるはずです。経済危機が起きるのも仕方ありません。

この経済危機で、アメリカの自動車メーカーのビッグスリーが国から数千億ドルもの援助を受け、さらに追加の援助の要請をするそうですが、実は、そういうことで解決する問題ではないのです。

では何が効果的かというと、アメリカ、いや世界中の女性の潜在意識のなかにある男性に対する何世代にもわたるネガティブな情報を消去（デリート）して、ゼロの状態に戻してあげることが最も効果があるのです。ゼロの状態に戻れば女性は幸せになり、結果として男性も幸せになります。

女性が幸せなら、ご主人も幸せ、子どもも幸せ、そしてご主人の会社もうまくいくのです。

家庭のなかで何か問題が起きるということは、会社のなかで何か問題が起きているということを実は表しています。なぜならばそれは「家庭」と「会社」が自分を通じてリンクしているからです。

逆に、会社のなかで起きていることは、リンクしている家庭のなかでも起きているということになります。家庭のなかの問題をクリーニングすれば、自分を通してリンクしてい

I'm sorry.

る会社の問題もクリーニングされるのです。

ですから女性の役割というのは本当に重要なのです。

これは女性が男性と比べて重要という意味ではなくて、女性が女性の役割を果たすことが大切であるという意味です。女性が女性らしくいられるとき、男性も自然と男性の役割を果たすことができるのです。

例えば、**専業主婦である女性が家庭内の問題を消去（デリート）すれば、夫を通じて夫の会社の問題も同時に消去（デリート）することができる**のです。

仕事を持つ女性ならば、会社の問題をクリーニングすることによって、自分を通じて家庭の問題も同時にクリーニングすることができるでしょう。

このように女性は、その役割を果たすということにおいて、とても重要なポジションにいるのです。

企業において、本来、女性は副社長職のようなとりまとめ役が役割として最適だと思うのですが、男性は「女性は不十分だ」「女性は能力が劣っている」と思い込んで、女性たちを押し込めてしまいがちです。ましてや有能な女性がいたら、女性以上の嫉妬心を男性は燃やすようです。わたしはある日本人の経営者から「男の嫉妬ほど怖いものはない」と

Thank you.

いう話を聞きました。

女性の果たすべき役割の重要性を男性がきちんと理解し、女性の役割が自然に増大し、幸せな女性が家庭に会社に世界に増えれば、家庭も会社も世界経済もきっとよくなることでしょう。

●ゼロが会社を成功に導く

ブッダは般若心経にあるように「色即是空、空即是色」と説いています。

「空」とはゼロのことで悟りの境地のことを指します。世の中に認識されることはすべて「空」であり、また「空」のなかにあることが世の中のすべてであると言っているのです。

わたしたちは、「欲望」（過去の記憶）を消去（デリート）して「空」の状態にあるとき、光が差してインスピレーションがやってきます。

逆に「欲望」があるとき、光がブロックされてさえぎられてしまい、インスピレーションはやってきません。

ブッダは人間の「欲望」がすべての苦しみの原因だと説いています。そのなかでも根本的な苦しみを生・老・病・死の「四苦」としています。人間は誕生以来、この「欲望」にずっと苦しみ続けてきました。特にこの「四苦」への執着が自らを光からさえぎってブロックされる原因となっていたのです。

「欲望」は英語ではdesireですが、desireはdeとsireに分けられます。sireというのは「父親」という意味です。deというのは「離れる」という意味です。つまり**desireとは「父親から離れる」という意味**になります。

ホ・オポノポノでは父というのは神です。ですから、**欲望は「神から離れる」ということ**になるわけです。

すなわち、「欲望(desire)」とは、光から離れてインスピレーションから遠く離れるという意味になるのです。

ブッダは、人間の欲望がすべての苦しみの原因だと説いています。**その「欲望」のなかには苦しみを引き起こす問題やネガティブな考えだけでなく、実はポジティブな考えも含まれている**のです。

ブッダが言ったように「空」の状態というのは何もないまっさらな状態のことを指します。なんの情報(過去の記憶)もそこにはないのです。

わたしたちが「空」のなかにいるということは「いいこと」も「悪いこと」もありません。「ネガティブ」も「ポジティブ」もありません。**考えも何もないのです。情報が何もないところが完璧なのです。ゼロの状態なので悟りがやってくるのです。**

ところが企業ではこの「ゼロ」ということがなかなかできません。

世界最高といわれる経営工学や経営コンサルタントの第一人者が事業計画やマネジメントの重要性を訴えています。「ゼロ」どころか、一度作成した事業計画に「固執する」ことをますます推奨しているのです。

さらには会社内で、業務のマニュアル化、ルーティンワーク化がいっそう進んでいます。マニュアルによる画一されたサービスが消費者に飽きられて支持を失ってしまい、マニュアルに頼っていた外食産業の多くの企業の業績が低迷していると日本で聞きました。マニュアル化、ルーティンワーク化が会社をむしばんでいるという話をしましたが、もう一つの問題が管理職の問題です。

わたしは成田空港に着いて東京での宿泊先へ向かうとき、丸の内のオフィス街をいつも車で通ります。するとほとんどの場合、夜遅くまでビルには煌々と明かりがともっているのが見えるのです。でも、そこで働いている人たちには、魂の抜け殻のようなものしかわたしには見えないのです。

聞くところによると、女性たちをほぼ定時に帰し、男性、それも管理職たちが遅くまで残って仕事をしているそうです。これはまったくナンセンスなことです。

彼ら管理職は何に固執しているのでしょうか？　まるで遅く帰る競争をしているかのようです。そのために仕事を作っているのではないかと疑いたくなります。だから魂が抜けかけているのです。

しかも、これらの会社は皆、日本を代表する企業の本社や支社なのです。それ以上に疑問なのは、日本の企業の経営トップたちはこのようなことを自分の部下にさせておいて、恥ずかしく思わないのでしょうか？

定時に仕事を終えるよう生産性を上げることをなぜ考えないのでしょうか？　男性たちが早く帰れば女性たちも幸せです。前述したように幸せな家庭があれば、会社の業績も上がるはずです。

「計画」と「管理」を主体とする「知識の経営」が過去1年間で何を生み出したか検証す

れば、トランスミューテーションの必要性を感じていただけるかと思います。

これからは「インスピレーション」と「自由」を主体とする「知恵の経営」の時代です。過去の成功体験はすべて古い情報です。それをすべて「ゼロ」にするのです。

●会社を成功させる秘訣は「家庭を大切にすること」

会社を成功させる秘訣《ひけつ》はなんでしょうか?

それは**「家庭を大切にすること＝家族を愛すること」**だとわたしは答えます。

では、なぜ家庭を大切にすると仕事も成功するのでしょうか?

それは「家庭」と「会社」が自分を通じてリンクしているからです。

家庭のなかで何か問題が起きるということは、会社のなかで何か問題が起きていることになります。

逆に、会社のなかで起きていることは、家庭のなかでも起きていることなのです。ですから、家庭のなかの問題を消去(デリート)すれば、会社の問題も消去(デリート)されるのです。

だからこそ、家庭を大切にしなければならないのです。

ここで誤解してほしくないのですが、「家庭を大切にする」ということは「残業をしないで早く家に帰りなさい」ということを言っているのではありません。もちろん、早く家に帰ることに越したことはありませんが、「家庭を大切にする」ということは、家族を愛すること＝家族とのパートナーシップを大切にすることを意味しています。

ここで、パートナーシップを深める方法を一つ伝授しましょう。

人と話をするときは、実はその人が寝ている時間にするのが一番いいのです。というのも、知性が寝ているので口論にならないからです。

ご主人が奥さんに対して言うなら**「僕とともに生活してくれてありがとう。そしてこんなに素晴らしい子どもたちを生んでくれてありがとう」**と寝ているときに話しかけるのです。そして**「もし僕があなたを傷つけたのなら、本当にごめんなさい。許してください」**と続けるのです。相手が寝ていれば、物理的に同じ場所にいなくてもかまいません。

こうすることによって、自分と家族とのパートナーシップを深めることができるのです。

さらに言えば**「自分自身を大切にすること」**もとても重要です。

家庭のなかの核が自分自身ですし、家庭と会社の両方に存在してリンクさせているのが自分自身なのですから。

自分自身を精神的にも肉体的にも大切にしないで、会社も家庭も健全であるはずがありません。そんな状態で、家庭が円満で会社が成功することは決してないのです。

もしそうでないのならば、今からすぐに自分を愛し、慈しんでください。純粋に自分自身の情報に向かって、「ごめんなさい」「許してください」「ありがとう」「愛しています」というホ・オポノポノの言葉を言ってあげてください。

ホ・オポノポノでは、さらに一歩進んで、自分のなかの潜在意識（ウニヒピリ＝インナーチャイルド）と自分自身がつながり、自分とのパートナーシップを深めることをとても大切にしています。そして、インナーチャイルドとつながるための第一歩は、ここでわたしが述べていることを実行することです。すなわち、自分自身を精神的にも肉体的にも愛することです。

精神的に自分を愛するということは、自分がかわいらしいとか愛おしいとか思うだけではありません。自分が本当にしたいこと、やりたいことをして、ウソをつかずいつも本音で話をするというようなことも含まれるのです。

ただ、こう書くと「では会社に行きたくないときはサボってもいいんでしょ」と言う人がいるかもしれません。でも、それは「自分自身を大切にしていること」とは異なります。自分の良心や純粋さに反することは、自分を愛している行為とは言えないのです。心のなかで「まずいなあ」と浮かぶことは、必ずあとで自分に返ってくるようになっています。

本来、人間は自分のことを愛することだけで、実は十分に生きていく価値があります。

どのような立場でも、どのような時代でも、どのような場所でも、自分のことを愛して自分自身を充実させることができたら、大変な貢献を宇宙にしたことになるのです。

それなのに、わたしたちは自分のことを後回しにして、つい他人の世話を焼くことに注力しがちです。

世の中に自分のこと以上に大切にすべきことは存在しないのです。自分を犠牲にしてまで守るべき物事はありません。いや、たとえそう思ってもそうしてはならないのです。

なぜなら、自分のことをきちんと愛し大切にすることから「100％自分の責任」を果たすことが始まるからです。「100％自分の責任」を果たしてはじめて、家庭や会社での自分の責任を果たすことができるのです。

これが新しい時代の「会社を成功させる秘訣」なのです。時代のトランスミューテーションなのです。

そして、自分自身の心の平和が家庭の平和を作り、会社の平和を作るのです。自分自身の成功が家庭生活を成功させ、会社を成功に導くのです。

会社を成功させる秘訣とは実にシンプルです。誰もがすぐに実行できることです。

それは、まず自分を愛し慈しみ、そして家庭を大切にすることなのです。

ホ・オポノポノ体験談5

ホ・オポノポノの実践で困難な不動産取引に成功!

IZI LLC社長　カマイレラウリ・ラフェオヴイッチ

わたしは19歳のころから、ホ・オポノポノのプロセスを自分の生活の中心に置くようになりました。

大変幸運にも、わたしはモナ・ナラマク・シメオナと出会い、彼女から直接教えを受けることができました。皆さんに分かち合いたい経験がわたしには数限りなくあるということは、皆さんの想像に難くないと思いますが、今回はビジネスがテーマということで、最近あった出来事……ホ・オポノポノのプロセスを取り入れて成立した不動産契約についてシェアしましょう。この体験を通じ、ホ・オポノポノのプロセスの実践の仕方は無限にあること、そしてそれがいかに簡単に実践できるのかということを、皆さんに感じていただければ幸いです。

わたしはハワイにおける不動産取引・仲介業の免許を数年前に取得しました。あるとき、事務所に電話がかかってきました。ホ・オポノポノを長年実践している女性からでした。

「家を購入しようと思いましてね……。クリーニング（ホ・オポノポノのプロセスを実践するという意味です）をしていて、家を購入するなら今がいいと感じたのですよ。それも庭付きの家をと考えています。木や花を植えたり、庭の手入れをしたりしている自分の姿が見えるのです。でも、どうやってそれをかなえたらいいのか、わからないのです。カマイレ、手伝っていただけますか？」

わたしは「もちろん」と答え、「お互いクリーニングを続けましょう」と言いました。

どうやって不動産をハワイで取得するか、わたしたちは何回か話し合い、クライアントである彼女は物件を探し続けました。あるとき彼女は電話をしてきて、こう言いました。「たぶん理想の場所を見つけたと思うのです。クリーニングをしていて、ここだというインスピレーションがわいたのです」

そこでわたしは、その物件を扱う業者に電話しました。すると、その物件はもう第三者に預託してしまったとの返事でした。問い合わせた結果を話すと、彼女はがっかりしながらも、「クリーニングをして、何が起こるか待ってみます」と何度か繰り返し言いました。

数週間後、わたしはその業者から電話をもらいました。物件がまた市場に戻ってきたと言うのです。わたしたちはさっそく契約書を作成し、取得に必要な条件を整え始めました。クライアントはずっと言い続けていました。「これからどうしていいのか、やり遂げられるかどうか、わからないわ。でもやり続けますよ。クリーニングし続けます」

不動産取引の手続きを進めていくうち、この取引にかかわるさまざまな人の意見が耳に入ってきました。まず、有名な不動産仲介業者に「ああ、これは絶対購入すべき物件ですよ」と言われました。次には貸し手から、こんなふうに言われたのです。「この家はあなたに所有していただきたいと思いますよ、本当に。あなたが資金を調達できるように、わたしも全力でお手伝いします。あなたがこの家に心から安らぎを感じていらっしゃるのがわたしにも感じられますから」次は保険会社の人からかけられた言葉ですが、その内容は皆さん、想像がつくかもしれませんね。「あなたはこの土地を絶対所有したほうがいいですよ。残念ながら、わたしの会社の保険に入っていただくことはできないのですが、たぶんほかの会社をご紹介できると思います」……こうしたさまざまなやり取りがある間も、わたしたちはずっとクリーニングを続けていました。クライアントとわたしは、取引がうまくいくためにホ・オポノポノのプロセスを実践していたわけではなく、正しく、完全なること（もっともふさわしいこと）が起きるよう願って実践していました。わたしたちはホ・オポノポノを学び、実践してきましたので、わたしたちの仕事はひたすらクリーニングをすることだということがわかっていました。クリーニングをし、事態が展開していく……完全で正しいことが起きていく……のに任せるのです。わたしたちはただクリーニングをするだけです。

取引が成立するまでの数ヵ月の間に、さまざまな業者とかかわりましたが、皆、同じようなことを言うのです。「あなたはこの物件を絶対所有したほうがいい。あなたが契約を成立させられるように、わたしのできることはなんでもする」という意味のことです。

といっても、不動産取引にありがちな問題はもちろん出てきました。問題が起き、見通しが暗くなってきたときでも、わたしたちはクリーニングをし続けていました。そのような場合にも、クリーニングは土地と家屋の取得を期待して行うのではなく、クリーニングすべきことをクリーニングしていました。わたしたちは自分自身に問いかけました。「この経験を通して、わたしたちは何をクリーニングすべきか」と。クライアントはとても誠実に潜在意識と意識に働きかけ、クリーニングを続けていました。つまり、クリーニングして神に預けるのです。ときどき、彼女は葛藤することもありました。彼女はいら立ち、腹をたて、もうこの計画をあきらめなくてはならないとさえ思うこともあったようでした。でもある時点から、彼女はいつもクリーニングに取り掛かるようになりました。彼女はしっかりと腹をすえ、クリーニングをし、期待もクリーニングすることに決めたのです。クリーニングして、任せる……彼女にとって、そしてその土地と家屋にとって、このことにかかわるすべての事物にとって、正しく完全なことが起こるように、起こるがままに任せると心に決めたのです。

ついに彼女は、素敵な農地付きの家を購入することができました。家に越してきてからも、彼女はずっとクリーニングを続けていました。だんだん、彼女はクリーニングのときに心に浮かんできた状況を自分の意識のなかに取り入れるよう、意識に向かって願うようになっていきました。「愛しています。ごめんなさい。許してください」と土地、家、動物、地球、そのほかあらゆるものに、日常的に語りかけるようになっていったのです。

ホ・オポノポノの真髄はクリーニングです。わたしたちは、土地や家を買ったのではなく、土地と家を買うという行為を通じてクリーニングをしたのです。クリーニングをしたあとは、わたしたちは物事をあるがままに任せ、家は買えても買えなくても成り行きに任せることにしたのです。結果はわかりません。今、分かち合ったのは、望む土地を手に入れられた人の話でした。わたしたちはこのケースを成功ととらえていますが、それは、もしクリーニングをしなければ、わたしたちは自分たちの運命を、常に頭のなかで繰り返されている記憶と経験に預けることになったに違いないと思うからです。わたしたちがこの土地家屋の購入のさいにホ・オポノポノを実践しなかったら、わたしたしたちはきっと本来購入すべきでない、間違った物件を手に入れるはめに陥ったのではないでしょうか。結果は惨憺たるものになったかもしれません。

ホ・オポノポノは、宇宙の法則にのっとった原因と結果をわたしたちにもたらしてくれます。わたしたちは、自分たちの命が創造された原初から今に至るまで、ずっと否定的な記憶を創り上げ、積み重ね、受け入れてきました。もし、わたしたちにその気持ちがあれば、こうした否定的な記憶をクリーニングする方法があります。ホ・オポノポノの核となるものは、潜在意識へのたゆみないケア（心と時間をかけて大切にすること）と、（顕在）意識への働きかけ、関係の持ち方です。

ホ・オポノポノのプロセスをビジネスに取り入れたこの体験を分かち合わせていただき、ありがとうございました。これを読んでくださった方に、そしてこの文が印刷された紙、これが掲載されることになるインターネットのページ、印刷会社、編集者、関連業者、その各会社のある場所、従業員、またその会社のクライアントや消費者すべてに、クリーニングを通して心から感謝の気持ちを捧げます。

平和！

I'm sorry.

感謝を込めて

Kamaileauli'I
カマイレラウリイ

Thank you.

第6章

ホ・オポノポノとビジネス　Q&A

本章では、日常のビジネス現場におけるホ・オポノポノの実践について、皆さんの疑問にお答えします。

問題に対する基本的な解決法は、自分自身に対して「一体、自分の潜在意識のなかのどの情報に原因があって○○○○という問題が起きているのだろうか」と尋ね、ホ・オポノポノの四つの言葉を心のなかで唱えてクリーニングをする、ということになります。

皆さんに注意してほしいことは、「**クリーニングのあとに浮かんでくる不安、恐れ、あきらめなどの感情や思考もクリーニングすることを忘れない**」ということです。

情報は感情、思考などさまざまな種類のもので階層的に構成されています。一つの情報の階層がクリーニングされることによって、別の情報の階層が現れてくることもあります。ですから、1回クリーニングをしただけで「なんだ、変わらないや」とか「あれっ、効果がない」と言ってあきらめないでほしいのです。情報だけでなく、感情や思考が出てきたら、それもクリーニング。これが本章のポイントなのです。

Q 職場にとんでもない人がいます。どうしたらいいですか？

A 「とんでもない人」の情報を消去してください。

あなたの潜在意識のなかの情報（過去の記憶）が再生されているのが原因です。つまり、「とんでもないこと、人」に関するあなたの情報が再生されているのです。

この問題を解決するにはあなたの潜在意識のなかにある「とんでもないこと、人」に関する情報を消去（デリート）することが必要です。

具体的な方法としては、自分自身に対して「一体、自分の潜在意識のなかのどの情報に原因があってこの人がとんでもないことをするのだろうか」と尋ねます。

そして、その部分に対して「ごめんなさい」「許してください」「ありがとう」「愛しています」のホ・オポノポノの四つの言葉を心のなかで唱えて、消去（デリート）するのです。あまり難しく考えずに、回転しているCDを取り出すくらいの感覚で、イジェクトボタンを押すようなつもりで言います。

なお、ホ・オポノポノの言葉を言う代わりに、キャンセル「X」のマークを心のなかに思い浮かべる方法もあります（詳しくは233ページ参照）。

Q　ノルマをこなすにはどうしたらいいですか？

A　消去するとノルマをはるかに上回る成績が出るかもしれません。

まず、ノルマを達成するためにホ・オポノポノは実践できません。

ただし、クリーニングをした結果、ノルマの5〜6倍が達成されてしまうということが結果として起きるかもしれません。

ここでは、「ノルマに対するストレスをなくす」ということを探求してみましょう。

あなたの潜在意識のなかにある「ノルマは達成するのが難しい」という情報（過去の記憶）を消去（デリート）することが必要です。

具体的な方法としては、自分自身に対して「一体、自分の潜在意識のなかのどの情報に原因があってノルマは達成するのが難しいのだろうか」と尋ねます。

そして、その部分に対して「ごめんなさい」「許してください」「ありがとう」「愛しています」の四つの言葉を心のなかで唱えて、消去（デリート）するのです。

なお、ホ・オポノポノの言葉を言う代わりに、キャンセル「X」のマークをその情報に付けて消去（デリート）してもかまいません。

I'm sorry.

Thank you.

Q　モチベーションが上がらないのですが？

A　「モチベーションが下がっている」という記憶を消去してください。

あなたの潜在意識のなかの情報（過去の記憶）が再生されているのが原因です。つまり、「モチベーションが下がっている」というあなたの情報が再生されているのです。

この問題を解決するにはあなたの潜在意識のなかにある「モチベーションが下がっている」という情報を消去（デリート）することが必要です。

具体的な方法としては、自分自身に対して「一体、自分の潜在意識のなかのどの情報に原因があって自分のモチベーションが下がっているのだろうか」と尋ねます。

そして、その部分に対して「ごめんなさい」「許してください」「ありがとう」「愛しています」のホ・オポノポノの四つの言葉を心のなかで唱えて、消去（デリート）するのです。

すべては情報に起因しています。それは不必要な情報が再生されているだけなので、その「モチベーションが下がっている」という情報を消去すればいいのです。あるいは「モチベーションを上げなければならない」という情報を消去するのも一つの方法です。

なお、ホ・オポノポノの言葉を言う代わりに、キャンセル「X」のマークをその情報に

I'm sorry.

付けて消去（デリート）してもかまいません。

逆にあなたが上司で、部下のなかにモチベーションが下がっているスタッフがいるとします。

その彼があなたのところへ来て「今日は具合が悪くて全然やる気がないのです」と言ったとしましょう。

そういうときはスタッフに「ありがとう」と言って、クリーニングをするのです。今度はその部下の「モチベーションが下がっている」というその思いをどんどん消去（デリート）していくのです。

具体的な方法としては、自分自身に対して「一体、自分の潜在意識のなかのどの情報に原因があってこのスタッフのモチベーションが下がっているのだろうか」と尋ねます。

そして、その部分に対して「ごめんなさい」「許してください」「ありがとう」「愛しています」のホ・オポノポノの四つの言葉を心のなかで唱えて、消去（デリート）するのです。

あなたが自分の潜在意識をクリーニングすることによって、その部下は部屋を出るときにはまた元気になっていることでしょう。

Thank you.

Q　売上でナンバーワンになりたいのですが？

A　「なれない理由」を消去してください。

逆にわたしから質問をさせてください。

「なぜあなたはナンバーワンになっていないのですか？」

さまざまな答えが返ってくるでしょう。「力がない」「時間がない」「スキルがない」「強力なライバルがいる」「人脈がない」「上司に嫌われている」などです。

これらの理由はすべてあなたの情報（過去の記憶）なのです。記憶の再生にすぎません。

情報は前にも述べたように2種類しかないのです。すなわち、インスピレーションと潜在意識の記憶です。そして、問題があるとしたらそれは記憶なのです。あなたのその情報はキャンセルすることができるのです。

するとなぜかナンバーワンになろうという気もなくなります。すべてOKとなるのです。気持ちがいいから元気になって、仕事をしていることが楽しくてしようがなくなるでしょう。当然の結果ですが、仕事がうまくいくことになります。そして結果として、ナンバーワンになっているかもしれません。

Q 年収を上げたいのですが？

A 消去すると心が平和になって優先順位が変わるかもしれません。

あなたの潜在意識のなかの情報（過去の記憶）が再生されているのが原因です。つまり、「年収を上げたい（年収が少ない）」というあなたの情報が再生されているのです。

具体的な方法としては、自分自身に対して「一体、自分の潜在意識のなかのどの情報に原因があって年収を上げたいのだろうか（年収が少ないと思っているのだろうか）」と尋ねます。そして、その部分に対してホ・オポノポノの四つの言葉を心のなかで唱えて、消去（デリート）するのです。

なお、ホ・オポノポノの言葉を言う代わりに、キャンセル「X」のマークを心のなかに思い浮かべて、ゼロになるという方法もあります。

ゼロであったらすべて完璧なことが行われて、自分にふさわしいものが確実に入ってきます。その結果、優先順位がお金ということではなくなってしまうかもしれません。つまり、自分の心のなかが平和でいられるようになるのです。もしあなたが自分の内なる部分で平和を感じたならば、すべての物事がうまくいくようになるでしょう。

Q　妻が仕事に理解がないのですが？

A　「妻が仕事に理解がない」という情報を消去してください。

あなたの潜在意識のなかの情報（過去の記憶）が再生されているのが原因です。つまり、「妻が仕事に理解がない」というあなたの情報が再生されているのです。

この問題を解決するにはあなたの潜在意識のなかにある「妻は仕事に理解がない」という情報を消去（デリート）することが必要です。

具体的な方法としては、自分自身に対して「一体、自分の潜在意識のなかのどの情報に原因があって妻が仕事に理解がないのだろうか」と尋ねます。

そして、その部分に対して「ごめんなさい」「許してください」「ありがとう」「愛しています」のホ・オポノポノの言葉を心のなかで唱えて、消去（デリート）するのです。

他人に対する問題で、必ず覚えておいてほしいことは、妻（他人）がそう体験しているのではなくて、自分のなかにある情報が妻（他人）にそういうことを思わせているのです。また、他人に対する期待（この場合は「妻に理解してほしい」という期待）についても、クリーニングしておくことを勧めます。

I'm sorry.

Q　出世したいのですが？

A　まずは消去して、その結果を見てください。

出世するにはいろいろな方法があると思いますが、がむしゃらに仕事をすることだけが出世の方法とは限りません。

あなたが日々情報（過去の記憶）の消去（デリート）を続けて、光が届いているゼロの状態、すなわち自分が自分であるという状態になれば、自分の心のなかが調和し、平和の状態になることができます。

あなたがそういう状態になれば、何が起きようともＯＫという気持ちになれるのです。

宇宙は、そのようなゼロ＝悟りの状態にいる人が、自然と向上できるように意図を持って動いています。

ですから、今あなたがいる会社がいるべき場所ならば、自然にふさわしい地位が与えられるでしょう。また、あなたが今いる会社がそうでないのならば、あなたは必然的に別の会社にヘッドハンティングされていくことになるでしょう。

つまり、結果として「出世」ということになるわけです。

Thank you.

Q 失業中ですが、いい仕事を見つけるにはどうしたらいいですか？

A 待遇のためではなく、自分自身になるために消去してください。

あなたの潜在意識のなかの情報（過去の記憶）が再生されているのが原因です。つまり、「いい仕事が見つからない」というあなたの情報が再生されているのです。

具体的な方法としては、自分自身に対して「一体、自分の潜在意識のなかのどの情報に原因があっていい仕事が見つからないのだろうか」と尋ねます。

そして、その部分に対して「ごめんなさい」「許してください」「ありがとう」「愛しています」のホ・オポノポノの四つの言葉を心のなかで唱えて、消去（デリート）するのです。

ただし、好きな職種に就きたいとか、待遇のいい仕事をしたいとか、そういうことのためにクリーニングするのではなく、自分にとってふさわしい仕事と出合うためにクリーニングすることをお勧めします。

I'm sorry.

Q　やりがいのある仕事はどうやって見つければいいですか？

A　「やりがいのある仕事は見つからない」という情報を消去してください。

あなたの潜在意識のなかの情報（過去の記憶）が再生されているのが原因です。つまり、「やりがいのある仕事は見つからない」というあなたの情報が再生されているのです。

この問題を解決するにはあなたの潜在意識のなかにある「やりがいのある仕事は見つからない」という情報を消去（デリート）することが必要です。

具体的な方法としては、自分自身に対して「一体、自分の潜在意識のなかのどの情報に原因があってやりがいのある仕事は見つからないのだろうか」と尋ねます。

そして、その部分に対して「ごめんなさい」「許してください」「ありがとう」「愛しています」の四つの言葉を心のなかで唱えて、消去（デリート）するのです。

自分がゼロになれば、自分にふさわしい仕事、つまりやりがいのある仕事が現れてきます。これが欲しい、あれが欲しいという欲求や願望をすべて手放すと、すべてが手に入るのです。

Thank you.

Q　忙しくて時間がないのですが？

A　ゼロになれば時間に余裕が出てきます。

自分自身のクリーニングをしてゼロの状態になることです。

自分がゼロになれば、最適な環境が整い、時間に余裕が出てきます。むしろ時間が余るのではないでしょうか。

以上が「忙しい」ことに対する本質的な答えですが、別の解決方法も示しておきます。

あなたの潜在意識のなかにある「忙しくて時間がない」という情報（過去の記憶）を消去（デリート）するという方法です。

具体的な方法としては、自分自身に対して「一体、自分の潜在意識のなかのどの情報に原因があって忙しくて時間がないのだろうか」と尋ねます。

そして、その部分に対して「ごめんなさい」「許してください」「ありがとう」「愛しています」の四つの言葉を心のなかで唱えて、消去（デリート）するのです。

なお、ホ・オポノポノの言葉を言う代わりに、キャンセル「X」のマークをその情報に付けて消去（デリート）してもかまいません。

Q　募集しても人がうまく集まらないのですが？

A　「集まらない」という情報を消去してください。

あなたの潜在意識のなかの情報（過去の記憶）が再生されているのが原因です。つまり、「人が集まらない」というあなたの情報が再生されているのです。

この問題を解決するにはあなたの潜在意識のなかにある「人が集まらない」という情報を消去（デリート）することが必要です。

具体的な方法としては、自分自身に対して「一体、自分の潜在意識のなかのどの情報に原因があって人が集まらないのだろうか」と尋ねます。

そして、その部分に対して「ごめんなさい」「許してください」「ありがとう」「愛しています」のホ・オポノポノの四つの言葉を心のなかで唱えて、消去（デリート）するのです。

あなたのなかでその記憶が再生されているので、その情報を消去（デリート）するのです。キャンセル「X」のマークを付けてください。

そうすれば、それにふさわしい人が現れるでしょう。

Q 周りに思いやりのある同僚がいないので、いつも嫌な思いをしています。

A 情報を消去して苦しさから自由になってください。

あなたの潜在意識のなかの情報（過去の記憶）が再生されているのが原因です。つまり、「思いやりのある同僚がいない」というあなたの情報が再生されているのです。

この問題を解決するにはあなたの潜在意識のなかにある「思いやりのある同僚がいない」という情報を消去（デリート）することが必要です。

具体的な方法としては、自分自身に対して「一体、自分の潜在意識のなかのどの情報に原因があって思いやりのある同僚がいないのだろうか」と尋ねます。

そして、その部分に対して「ごめんなさい」「許してください」「ありがとう」「愛しています」のホ・オポノポノの四つの言葉を心のなかで唱えて、消去（デリート）するのです。

これは「苦しさ」の一つです。キャンセル「X」のマークを付けると消去されて、「苦しさ」から自由になることができます。

Q　資金繰りが苦しいのですが？

A　資金繰りの深刻さを消去してください。

この宇宙は情報で成り立っています。

そして、何かが滞っているときというのは、情報が流れを止めているのですから、その止めている原因、問題となっている情報を消去（デリート）すればいいのです。

会社も情報で成り立っています。悟っている状態、利益を出している状態の会社には光があります。反対につぶれかかっている会社の場合は光が届かなくなっています。

光を止めているのが情報なのです。

「資金繰りが苦しい」ことに対して、本当は何をしたらいいのかということを、経営者はよくわかっています。

ところが、「資金繰りが苦しい」という事態の「深刻さ」がそれをわからなくさせてしまっているのです。ですから、まずその「深刻さ」をクリーニングすることから始めなければなりません。

例えば、あと1000万円あったら、資金繰りがなんとかなるとしましょう。そういう場合、まず経営者のなかにある「あと1000万円あったら……」という思いのなかにある「深刻さ」をクリーニングするのです。

「深刻さ」のクリーニングが完了できたら、いよいよ本題である「資金繰りの問題」に入ります。

「資金繰りの問題」は、まず潜在意識のなかの情報が再生しているのが原因です。つまり、「資金繰りが苦しい」というあなたの情報が再生されているのです。

ですから、この問題を解決するには経営者の潜在意識のなかにある「資金繰りが苦しい」という情報を消去(デリート)することが必要なのです。

具体的な方法としては、自分自身に対して「一体、自分の潜在意識のなかのどの情報に原因があって資金繰りが苦しいのだろうか」と尋ねます。

そして、その部分に対して「ごめんなさい」「許してください」「ありがとう」「愛しています」のホ・オポノポノの四つの言葉を心のなかで唱えて、消去(デリート)するのです。

なお、ホ・オポノポノの言葉を言う代わりに、キャンセル「X」で消去(デリート)するという方法もあります。

I'm sorry.

Q　スタッフが自分の思ったとおりに動いてくれません。

A　あなたの判断を消去してください。

あなたの潜在意識のなかの情報（過去の記憶）が再生されているのが原因です。つまり、「スタッフが思ったとおりに動かない」というあなたの情報が再生されているのです。

具体的な方法としては、自分自身に対して「一体、自分の潜在意識のなかのどの情報に原因があってスタッフが思ったとおりに動かないのだろうか」と尋ねます。

そして、その部分に対して「ごめんなさい」「許してください」「ありがとう」「愛しています」のホ・オポノポノの四つの言葉を心のなかで唱えて、消去（デリート）するのです。

これはあなたの「判断」によるものです。社員が思ったように動かないという情報によって、光が止められている状態なのです。

ですから、スタッフをコントロールしようとしないで、自分をクリーニングすることが必要です。すると、スタッフは自由に動いて、高いパフォーマンスを発揮するでしょう。

なお、キャンセル「X」で消去（デリート）するという方法もあります。

Thank you.

Q 取引先から無理難題を言われて困っています。

A 「無理難題を言われる」という情報を消去してください。

あなたの潜在意識のなかの情報（過去の記憶）が再生されているのが原因です。つまり、「取引先から無理難題を言われる」というあなたの情報が再生されているのです。

この問題を解決するにはあなたの潜在意識のなかにある「取引先から無理難題を言われる」という情報を消去することが必要です。

具体的な方法としては、自分自身に対して「一体、自分の潜在意識のなかのどの情報に原因があって取引先から無理難題を言われるのだろうか」と尋ねます。

そして、その部分に対して「ごめんなさい」「許してください」「ありがとう」「愛しています」のホ・オポノポノの四つの言葉を心のなかで唱えて、消去（デリート）するのです。

ですから、取引先の問題なのではなく、あなた自身のなかにある問題なのです。そこを消去（デリート）すれば、取引先は無理難題を言ってこなくなります。

なお、キャンセル「X」で消去（デリート）するという方法もあります。

I'm sorry.

Q　人材が育ちません。また、スタッフがすぐに辞めてしまいます。

A　人材に関する情報を消去してください。

あなたの潜在意識のなかの情報（過去の記憶）が再生されているのが原因です。つまり、「人材が育たない。すぐに辞めてしまう」というあなたの情報が再生されているのです。

この問題を解決するにはあなたの潜在意識のなかにある「人材が育たない。すぐに辞めてしまう」という情報を消去（デリート）することが必要です。

具体的な方法としては、自分自身に対して「一体、自分の潜在意識のなかのどの情報に原因があって人材が育たず、すぐに辞めてしまうのだろうか」と尋ねます。

そして、その部分に対して「ごめんなさい」「許してください」「ありがとう」「愛しています」のホ・オポノポノの四つの言葉を心のなかで唱えて、消去するのです。

「人材が育たない」という情報の原因の消去（デリート）を続けていれば、スタッフが素晴らしい人材として現れてくることでしょう。

なお、キャンセル「X」で消去（デリート）するという方法もあります。

Thank you.

Q 売上が減少して困っています。

A 「売上が減少する」という情報を消去してください。

あなたの潜在意識のなかの情報（過去の記憶）が再生されているのが原因です。つまり、「売上が減少する」というあなたの情報が再生されているのです。

この問題を解決するにはあなたの潜在意識のなかにある「売上が減少する」という情報を消去（デリート）することが必要です。

具体的な方法としては、自分自身に対して「一体、自分の潜在意識のなかのどの情報に原因があって売上が減少してしまうのだろうか」と尋ねます。

そして、その部分に対して「ごめんなさい」「許してください」「ありがとう」「愛しています」のホ・オポノポノの四つの言葉を心のなかで唱えて、消去（デリート）するのです。

あなたのなかで「売上が減少する」という記憶が再生されているので、そのデータを消去するのです。

なお、キャンセル「X」で消去（デリート）するという方法もあります。

I'm sorry.

Q　クレームを防ぐにはどうしたらいいですか？

A　常にクリーニングしていればクレームは起こりません。

あなたが常に自分をクリーニングしていたら、クレームは現象として現れません。そしてクリーニングは、クレームだけでなく、いろいろなものを予防してくれます。また、クリーニングを続けていると、クレームがクレームとして聞こえず、ありがたいアドバイスに思えてきます。

以上が「クレーム」に対する本質的な答えですが、別の解決方法も示しておきましょう。あなたの潜在意識のなかにある「クレームが起きる」という情報（過去の記憶）を消去（デリート）するという方法もあります。

具体的な方法としては、自分自身に対して「一体、自分の潜在意識のなかのどの情報に原因があってクレームが起きるのだろうか」と尋ねます。

そして、その部分に対して「ごめんなさい」「許してください」「ありがとう」「愛しています」のホ・オポノポノの四つの言葉を心のなかで唱えて、消去（デリート）するのです。

Thank you.

Q 同業者との競争に打ち勝つにはどうしたらいいですか？

A 平和であれば勝利しかありません。

あなたの潜在意識のなかの情報（過去の記憶）が再生されているのが原因です。つまり、「人生は競争だ。打ち勝たねば負ける」というあなたの情報が再生されているのです。

この問題を解決するにはあなたの潜在意識のなかにある「人生は競争だ。打ち勝たねば負ける」という情報を消去（デリート）することが必要です。

そして、その部分に対して「ごめんなさい」「許してください」「ありがとう」「愛しています」の四つの言葉を心のなかで唱えて、消去（デリート）するのです。

光が届いているゼロの状態にあなたがいれば、すなわち自分が自分であるならば、競争相手はいません。なぜならば、自分しかいないところだからです。

自分が自分らしくいると平和があって、そこには競争とか摩擦とか争いというものはないのです。そして、みんなが勝つという状態しか起きてこないのです。負け組は存在しません。つまり、ホ・オポノポノによるビジネスは Win-Win の関係なのです。

I'm sorry.

Q　会社の将来を考えると不安でなりません。業界自体の将来性がありません。

A　会社と業界の将来性についての情報を消去してください。

あなたの潜在意識のなかの情報（過去の記憶）が再生されているのが原因です。つまり、「会社の将来が不安である。業界の将来がない」というあなたの情報が再生されているのです。

この問題を解決するにはあなたの潜在意識のなかにある「会社の将来が不安である。業界の将来がない」という情報を消去（デリート）することが必要です。

具体的な方法としては、自分自身に対して「一体、自分の潜在意識のなかのどの情報に原因があって会社の将来が不安なのだろうか」と尋ねます。

そして、その部分に対して「ごめんなさい」「許してください」「ありがとう」「愛しています」のホ・オポノポノの四つの言葉を心のなかで唱えて、消去（デリート）するのです。

なお、ホ・オポノポノの言葉を言う代わりに、キャンセル「X」で消去（デリート）するという方法もあります。

Thank you.

ホ・オポノポノ体験談6

ヒーリング能力が一挙にアップ

Abundantia株式会社　代表取締役　森めぐみ

わたしは開業して15年目のヒーラー／セラピストです。

子どものころから感じる能力がとても強く、顔で笑っていても心で怒っている人がいると、感情を隠していることを感じ取り、苦しくなったりしていました。やがて、その能力はだんだんと強くなり、リーディングできるようになったのですが、その能力を自分で受け入れることができないばかりか、人と違うことでとても強い孤独を感じていました。

15年前に2歳の子どもを抱えシングルマザーとなり、どうやって生活していこうかと途方に暮れたとき、受け入れがたかった自分の能力を人のために生かすことを決心することができました。

それ以来クライアントの方々の癒しとメンタルケアの手助けができるように、人生のミッションとして一生懸命に取り組んできました。

I'm sorry.

ミッションに生きる決心をしたことで、能力が大きく開き、チャネリングやヒーリング能力を宇宙から授かったのですが、それと同時に体が「人間浄化装置」のようになり、場所や人のクリーニングを自動的に行うようになってしまい、疲れやすいのがわたしの悩みの種でした。

「もっと仕事がしたい！　でも体が言うことを聞いてくれない」

そんなジレンマに陥っていたのです。

その結果、仕事が忙しくなると怖くなり体調を崩してしまうというパターンから抜け出せずにいました。

また、人に物を頼むのが苦手で、何もかも自分で抱え込むという癖もありました。

2008年10月に日本で初めて行われたホ・オポノポノのビジネスセミナーに参加して、ヒューレン博士が会場やイスたちと会話している姿を見て、人が大切に扱う物には精霊が宿っているという話を思い出し、わたしも、早速、話しかけてみました。

話しかけると部屋や家具が応えてくれるという体験は、わたしの何でも抱え込むという癖をクリーニングしてくれました。

また、ホ・オポノポノの四つの言葉を真剣に唱えたところ、感謝や謙虚さ、宇宙のサ

Thank you.

ポートとともにいられるようになり、ウソのようにわたしの体が軽くなったのです。それは、体だけでなく心も軽くしてくれました。深刻に悩むことがなくなったのです。なぜならその体験のおかげで、わたしに最適な仕事、最適な収入、最適な人生に沿って歩んでいることを信頼できるようになったからです。

また、平良ベティーさんとお話をしていたときに、彼女から「ホ・オポノポノを実践していると必要なものは向こうからやってくる」ということを聞きました。現在、まさにそういったことがわたしの仕事に、人生に起こり始めています。

仕事やビジネスパートナーが、必死になって探さなくても向こうからやってくるのです。

そして、自分自身に素晴らしい体験があったので、仕事にも取り入れたところ、クライアントの方々のクリーニングを行うと、本人が問題だとしていることのブロックが明確になり、クライアントの方々が生き生きとした自分らしい人生を手に入れるための期間がずっと短くなるという体験もさせていただくことができました。

そして、クライアントに接することが自分自身をクリーニングすることとなり、その機会をたくさん与えられていることにとても感謝しています。

長い間、人の癒し、そして自分自身の癒しと向き合ってきて、本当に核となる部分を

I'm sorry.

見つけたのです。このホ・オポノポノが核となってくれる。そう信じています。

ありがとうございます。愛しています。

Thank you.

第7章

ホ・オポノポノがあなたの人生と世界を癒す

●幸せは何もないゼロの状態

わたしは「幸せ」というのはゼロの状態にあること、すなわち悟りの状態にあると考えています。なぜならば、ゼロは執着のない自由の状態だからです。

執着がないということは、そこには「欲望」が存在せず、ブッダのいう苦しみや悩みもないことを表しています。

ですから執着がないということは、「考えは何もない」ということを表しています。**情報が何もないところが完璧なのです。**ゼロの状態なので悟りがくるのです。

一方、「幸せ」という言葉自体に少し少女趣味のようなものがあるように感じます。

わたしたちが本当に求めているのは、人間が本来持っているもの＝自由なのです。それが実は「幸せ」なのですが、「幸せ」という概念は少し幼稚な感じがします。

もちろん、「幸せ」の意味は人それぞれ違います。

ある人にとって「幸せ」とは歌を歌うことかもしれません。しかし、別の人にとって歌を歌うことは苦痛としか感じられないかもしれないのです。

しかし、**「幸せ」の前に必ずたどり着かなければならないところがあります。それが**

「自由」なのです。「自由」の門を開かないと「幸せ」にはたどり着かないのです。

「自由」なところには祝福があります。そして祝福は悟りです。

ある人にとっての祝福は、森のなかを散歩することかもしれません。また、ある人にとっての祝福は凧を風に乗せて空を見ていることかもしれません。人それぞれによって祝福の意味が違うのです。

わたしがなぜクリーニングをし続けるかというと、自由でいたいからです。恐れがないところにいたいからです。クリーニングをしていないと、情報に邪魔をされて、本来のわたしたちでなくなってしまうのです。

わたしたちは本来恐れがない存在として創られています。宇宙のすべての生命体と同じく完璧に創られています。ですから、どこも変える必要はないのです。誰とも比較する必要もないのです。

ところが、いつしかわたしたち人間はそのことをすっかり忘れてしまっています。不完全な生き物として、「恐れ」「心配」「不安」を抱えて日々生きているのです。

なぜそうなってしまったのでしょうか？　いや、なぜそうなるのでしょうか？

それは簡単です。わたしたちが不完全な生き物だからではありません。既に情報に洗脳

I'm sorry.

されてしまったからです。すなわち、**「恐れ」「心配」「不安」の情報を再生しているからな**のです。

もう、恐れたり、心配したり、不安になったりする必要はありません。ただの情報に洗脳されていただけなのです。わたしたちは人間がもともといたところ、ゼロの状態に戻ればいいのです。

誰とも比べる必要もありません。わたしたちは既に完璧で、「神聖なる存在(Divinity)」そのものなのです。

そうなのです。わたしたちは、恐れがない状態で生まれてきたのです。光がブロックされることなく、悟りのなかに存在していました。

ところが、情報に邪魔をされて、本来のわたしたちでなくなってしまったのです。問題を起こすのは情報で、ホ・オポノポノはその情報を消去するプロセスを提供してくれているだけなのです。

わたしたちは、自分が自由でいると、家族も自由ですし、仕事も、社会も、世界も自由になるのです。

そして、その原点はこれを読んでいるあなたなのです。

Thank you.

もう「幸せ」になる必要はないのです。あなたはもう既に「自由」なのですから……。

つまり、あなたはもう既に「幸せ」なのですから……。

ゼロの状態には、光が常に届いています。心配することは何もないのです。恐れるものは何もないのです。そして、あなたは自由です。

そしてそこに導いてくれるのが、ホ・オポノポノなのです。

●人生の目的は「自由＝クリーニング」

わたしたちの生きる目的はなんでしょうか？

「事業の成功」のためでしょうか？　「幸せの追求」でしょうか？　「使命を果たす」ためでしょうか？

わたしは、今世生きている目的は「自由」になるためだと考えています。

「自由」とは、何事にも執着せずすべてのことを手放すことができること、すなわち悟り（ゼロ）の状態のことをいいます。

さらにいえば、人生の目的はただ「自由になる」ためではなくて、「過去から自由になる」ために生きていると考えられます。

では「過去」というのは何かというと、常に再生されている情報（過去の記憶）を生きる、ということです。

住宅ローン（mortgage loan）というものがありますが、**人生は魂のローンの返済のようなもの**です。住宅ローン（mortgage loan）の mort というのは「死」を意味します。つまり、死ぬ情報が再生されているということになります。

ホ・オポノポノは、いわば自分の魂の死の情報を消去しているともいえます。

ですから自分で魂の死の情報を消去しないかぎり、自分の魂は宇宙で競売物件に出されてしまい、最後には死ぬことになってしまうのです。

死というものは、魂の借金をきちんと返済しなかったことの代償ということなのです。実は、わたしたちが魂の借金を返済しない代償として、死というものがわたしたちに現れるのです。

わたしはクリーニングが大好きです。

なぜならば、最終的に父＝神の家に戻れるからです。

しかし、借金をきちんと返済しないと、父の家にはたどり着くことはできません。魂の借金を返済することがクリーニングであって、その借金を返済しないということは、魂に染みを作って借金をしたまま死ぬということなのです。

ですから、**わたしにとって人生というビジネスを生きるということは、魂の借金をきちんと返済する、**ということなのです。

そうすることによって、人生のすべてを手放すことが初めてできるようになり、悟り（ゼロ）の状態、すなわち「自由」になることができるのです。

常に再生されている過去の記憶から解放されて、過去でなく今を生きることができるのです。

さて、わたしは今、ホ・オポノポノのクラスを開催したり、講演活動をしたりしながら、世界中を旅しています。

本当のわたしは、のんびりと自分の家で過ごしたいところなのですが、世界を旅して、クリーニングをし続けるのがわたしに与えられた使命であると思っています。

実際にわたしが訪れるところ、人に会うごとに、クリーニングをしなければならない機会をたくさん与えていただいています。

I'm sorry.

というよりも、わたし自身の潜在意識のクリーニングのための素晴らしい機会なのだと思っています。

こうして考えてみると、わたしの人生の目的は二つのことの選択でしかありません。

クリーニングをするか

クリーニングをしないか

のいずれかです。

人生から逃げずに、「100%自分の責任」であるというところから、クリーニングをするか、クリーニングをしないで情報に支配される人生を歩むかのどちらかです。

何もこれはわたしだけの選択ではありません。この本を読んでいる皆さん全員の選択なのです。

クリーニングをするか、クリーニングをしないか。

でも、わたしにとっては、一瞬一瞬、行くべきところに行ってクリーニングをしているだけなのです。理由などありません。ただクリーニングするために存在しているのです。

Thank you.

クリーニングをすることが、次の人生の扉を自然と開きます。そして、起こるべきことが起こるのです。するとまた、次の扉の前に立つことになるのです。

クリーニングをするか。クリーニングをしないか。

人生はこの連続でしかありません。

●日本人の大切な役割

日本はとても大切なところだと思っています。

数年前わたしたちはこれからヨーロッパをもっと深めていこうと思っていたのですが、突然、「神聖なる存在（Divinity）」から「日本に行きなさい」という指示がやってきました。

それで急に方向が変わり、1年間に何度も来日することとなりました。

わたしは、日本人は怒ったり恨んだりしなければ、つまりその感情の原因となっている潜在意識の部分の情報（過去の記憶）を消去（デリート）すれば、自分たちは何をすべきかということを自然に受け取ることができると考えています。

そして、**わたしは日本人のなかに「安全な食べ物を作る」という大きな役目が出てくる**

のではないかと思っています。

安全な食べ物を作るということは、世界のなかでも日本から始まらなくてはなりません。しかし、それはお金儲けというところから始まってはならないのです。わたしは、日本人のなかでも、ボランティアや社会貢献をしている人たちの間から起こってくるのではないかと考えています。なぜなら、そういう人格の人でないとこの仕事は具現化できないからです。

というのも、人類が飢餓に苦しんだ情報は地上に蔓延しています。だから、いまだに飢えで苦しんでいる人がいるのです。純粋な志と自らクリーニングをするパワーがないと、それを乗り越えてこの崇高な産業を育てることはできないのです。

実は、**日本人に与えられている使命の一つに、「何か食べ物で、情報がすべて消去されるものを作り出す」ということがあるのです。**日本人はその才能が与えられている唯一の民族なのです。

ところが、今の日本人は自動車や電気製品などの製造に忙しくて、そのような才能があることに気づいていません（河合注：ヒューレン博士とのインタビュー時には、日本の自動車産業が本書刊行時のようにここまで苦しくなるとは誰も想像していなかった）。日本人が遺伝子として受け継いでいる才能は「食べ物」に関するものなのです。これは日本人がクリーニングをしないからまだ気づいていないのです。

日本人がクリーニングをしていけば、食べ物でクリーニングが自然に行われるようなものを発明して、そのような産業が始まります。事実、そういうことに興味を持ち始めている起業家たちが今現れ始めています。食べ物に関する新しい産業が始まると、その食べ物を運ぶための新しい流通ネットワークが必要となります。さらには、その流通ネットワークを支える独自のコンピューターシステムが開発され、次にはその食べ物を海外に輸出するとなれば輸出に関する新しい産業がまた生まれることになるのです。

このように、新しく社会に登場する食べ物に関する産業は一つにすぎなくとも、それに関連する新しい形態の産業が次から次へとその周辺に広がっていくので、日本の社会、経済に関して大きな影響を及ぼすことになると考えられます。

糖尿病の人がいるとしたら「ああ、糖尿病なのですか。わかりました。その情報を消去する食べ物はこれです」と言って、ただ伝えるだけでいいようになるのです。わざわざお医者さんに行って処方箋をもらって、それを薬剤師さんに調合してもらう必要がなくなるのです。

まったく新しいビジネスモデルです。ゼロの状態のビジネスです。この役割は、わたしは日本人しかできないと思っています。

でも、もし日本人がしなければ、ほかの国の人たちがそれを行うでしょう。フットボールでクォーターバックがクォーターバックの役割をしなかったら、そのゲームからその人をはずすことと同じ理屈です。

現在、世界的に食品にはさまざまな問題があります。わたしが今、日本を頻繁に訪れているのは、日本人は食品を作るという才能を遺伝子として受け継いでいるにもかかわらず、ブロックされていて光が届いていないので、それを消去して解放することが必要なためなのです。

日本人が自分たちの役割について目覚め、それを果たすことを楽しみにしています。

ホ・オポノポノが世界経済を救う

現在の世界の経済危機の原因はなんでしょうか?

わたしは、それは人々がとても無責任になっているからだと考えています。

今、誰もが簡単に責任を誰かのせいにしています。アメリカが悪い、政府が悪い、業界が悪い、会社が悪い……。

そして、決して自分の責任だとは誰も言わないのです。

今の世界に蔓延している「金儲けが人生のゴール」「責任はいつか誰かがとる」というような情報（過去の記憶）を消去（デリート）しないかぎり、現在の世界経済の危機は解消されないでしょう。

それどころか、ますます経済危機は深刻化するはずです。

この世で最も優れた経営者といわれている人たちでさえも、経済問題の根源は情報にあるということを知りません。

ホ・オポノポノならば、世界経済をトランスミューテーションさせることも可能です。未曾有の大不況を終焉させることもできるのです。

では、どのようにしたらよいのでしょうか？

ホ・オポノポノでは、「すべての出来事は１００％自分の責任である」と説いています。にわかに信じにくいことかもしれませんが、たとえ一人の人間であったとしても、現在の世界の経済危機に対してそれが「１００％自分の責任」であるという立場をとるならば、

I'm sorry.

世界経済全体を救うことができるのです。

わたしならば次の方法を用いて世界経済のトランスミューテーションを起こします。

まず、「金儲けが人生のゴール」「責任はいつか誰かがとる」というような情報をクリーニングします。この情報は世界中の多くのビジネスパーソンが共有している情報です。この情報を自分の潜在意識から消去するときに、ビジネスパーソンが共有している情報もいっしょに消去するのです。

次に**「自分の潜在意識のなかにあるどんな情報が現在の経済危機を引き起こしているのか」と自分自身に問いかけ、その情報を消去（デリート）します。**この情報も世界中の多くのビジネスパーソンが共有している情報です。この情報を自分の潜在意識から消去するときに、ビジネスパーソンが共有している情報もいっしょに消去するのです。

これで本当に世界経済を救えるのかと思いたくなるほど簡単な方法なのですが、ホ・オポノポノ的見地からすれば、世界の経済危機も、あなたの家のゴミの問題も同じレベルの話です。一人の人間が真剣に「１００％の責任をとる」と宣言すれば解決できることなのです。

せっかくのチャンスですから、これを契機に現在の世の中の無責任な風潮を１８０度変

Thank you.

えることをわたしは提案したいと思います。

「100%自分の責任」であるということから、自分以外の問題についても責任をとって解決する努力をするのです。他人に関する自分の潜在意識のなかにある情報は、他人と情報を共有していると考えます。その共有している潜在意識のなかの情報をクリーニングすることによって、他人の情報も消去することができると考えるのです。

この考えを世界規模にまで広げれば、世界の経済危機にも対処できるのです。

こうしてホ・オポノポノによるビジネスが浸透すれば、世界経済のトランスミューテーションが起きることでしょう。

これが現在の世界の経済危機に対する一つの解答であるとわたしは考えます。

●ホ・オポノポノ的ビジネスパーソンは恐れず、自由で、責任をとる

ビジネスパーソンに必要な要素といえば、さまざまなものが挙げられます。

「リーダーシップ」「決断力」「交渉力」「実行力」などです。日本では「協調性」が大切だということも聞きました。

ホ・オポノポノの観点から見たビジネスパーソンのあり方とはどのようなものなのでしょうか？

それは**「恐れがない人」「自由な人」「責任をとれる人」**だとわたしは思っています。

そして、この三つの要素はこれからのビジネスパーソンに必ず必要になるものであると確信しています。

「恐れがない人」とは何事にも挑戦する人とか、ひるまず猛進する人ということではありません。

何が起きても「冷静かつ柔軟に対処ができる人」を意味します。そのためには、仕事にマイナスの影響を与えるネガティブなプログラムについて、自分の潜在意識のなかの情報（過去の記憶）から消去（デリート）している人のことです。そして、ポジティブなプログラムも同時に消去している人です。

「自由な人」とは勝手気ままな人とか、身軽に動ける人ということではありません。

「何事にも執着せず、すべてのことを手放すことができる人」を意味します。「自分はわかっている」という傲慢な思いを消去（デリート）し、正しいことも間違っていることも何もないというところから、インスピレーションに従って行動することができる人のことです。

「責任をとれる人」とは最後まで遂行する人とか潔い人ということではありません。「世の中に起きるすべての出来事の源泉は自分にあり、100％自分の責任であると自覚している人」のことを意味します。自分がかかわる問題のみならず、会社に起きるすべての問題に対しても、「100％自分が責任を持つ」ことができる人のことです。

この三つの要素を持っている人に共通していることは、**明晰性が高い**ということです。

明晰性が高いということは、クリアな状態にあって精神力を遺憾なく発揮できる状態にあるということです。情報を消去した知識を知恵として使うばかりでなく、目的を達成するために何をしたらよいか最適な判断をすることもできるのです。ひと言で言えば「ゼロ」の状態にいるということです。

逆にいえば、明晰性が高い人でないと、「恐れがない」「自由である」「責任をとれる」人になることはできません。

ですから、たとえ会社をクビにされようとしていても、クビにされたとしても、「ああ、わたしはここにいるべきじゃないのだ」というのを自然に受け止められる人なのです。それくらい明晰性が高い人なのです。

これからますます混沌としてくる時代のなかで、明晰性が高いということは人生を成功させる大きな鍵となることはいうまでもありません。

では、一体どうやったらホ・オポノポノ的なビジネスパーソンになることができるのでしょうか？

「恐れがない人」と言ったところで、実際のところ「いつも完全に恐れがない人」というのはあり得ないと思います。

ところが宇宙には中間というのはないのです。「天国と地獄」「白と黒」「裏と表」しかありません。

ホ・オポノポノは、いわば「宇宙のチューニング」だともいえます。

わたしはウクレレを弾きます。日本には飛行機での持ち込みの関係で持ってきたことはありませんが、アメリカでのセミナーのときは飛行機が国内線扱いになるので、ときどきウクレレを持参します。セミナーの最中に弾いたりするのですが、ウクレレの音が合っていないときがあります。そこでチューニングをするわけですが、チューニングは音が合っているか、合っていないかしかありません。その音をチューニングしている状態がホ・オポノポノのクリーニングなのです。

これからの時代というよりも、既に過去からずっとわたしたちは「恐れがない」「自由な」「責任をとれる」ビジネスパーソンを求めてきました。

それが経済界からでなく、経済学界でもなく、ハワイの伝統的な癒しの問題解決メソッドのホ・オポノポノのクリーニングのなかからその必要性が認識されてきたのです。これはとても画期的なことだと思います。

本当にまったく新しい時代がきていることの証だと感じています。

わたしたちは、クリーニングをし続けるしかないのです。そしてそれが「明晰性」を持ち、「恐れがない人」「自由な人」「責任をとれる人」への道なのです。

ホ・オポノポノ体験談7

自分をクリーニングしたら夫のガンが治った

林瑛蘭(Lim, Young Ran)

わたしは韓国生まれの韓国人で、結婚する前は、心理学博士として、臨床心理学者として、病院の精神科で患者さんと接する仕事をしながら、大学と大学院で心理学を教えていました。

2001年に、今の主人と出会い、結婚。主人は日本でビジネスをしておりましたので、わたしは結婚と同時に韓国での仕事をすべて辞めて、日本で生活することになりました。

日本へ来てからは、病人ではなく一般の人の意識成長を助ける自己啓発セミナーの案内をしたり、最近はインドの瞑想プログラムを広めたりするなど、霊的成長に関心を持ち続けていました。

同時に、事業を行う夫の仕事を手伝う時間も増えて、会社の財務を担当するようになりました。

2008年9月の中ごろに、韓国の友人から1冊の本をプレゼントされました。ジョー・ヴィターリさんとヒューレン博士がいっしょに書いた『ホ・オポノポノの秘密』(邦題:『ハワイの秘法』)という本でした。わたしはこの本がすっかり気に入ってしまって、ある集まりに出たときに『ホ・オポノポノの秘密』の内容を話したところ、その集まりにいらしていたある方が、その本の著者であるヒューレン博士が今度来日されて、セミナーが開かれるはずだと話してくださいました。

あまりにもうれしくて、すぐにインターネットで検索して、10月12、13日の2日間にわたって開かれるセミナーに申し込みました。ヒューレン博士を目の前で見ることができるというだけでも、とても特別な感じがして、気持ちが高ぶりました。

実は、わたしには非常に切迫した状況が一つありました。主人の健康にかかわることです。

40代前半である主人は、最近健康に気を使い始めて、脳の基本的な検査をしました。ところが、首のあたりが何かひっかかると言われ、精密検査を勧められ、受診しました。そして10月1日に、病院から検査結果の報告を電話で受けました。

検査結果は、脊椎ガンと言われました。一瞬にして目の前が真っ暗になりました。主人はあまりにも元気で、なんの症状も現れていませんでしたから、この状況はとても受け入れがたく、到底信じられませんでしたし、信じたくありませんでした。数日間は、何も手につかず、泣いてばかりいました。そんなわたしの姿を見ながら苦しむ夫を見て、わたしがいつまでもこうしていてはいけないと思い、わたしの内面を整え、気持ちを強く持たなければいけないと思いました。

そして、今までわたしが勉強や自己啓発セミナーで学んできた方法が、役に立つということをうれしく思いました。ホ・オポノポノもそのなかの一つでした。

本を読んだだけでしたが、それだけでも十分でした。なんでも、わたしのなかからわき上がってくる感情や思いに対して、「すみません、容赦してください、ありがとうございます、愛しています」と唱えるだけというあまりにも簡単な方法だったからです。

効果があるのかどうか、まったく見当もつきませんでしたが、何かしていなければ、たまらない状態でしたから、24時間、起きているときも、眠りながらもこの四つの言葉を言い続けました。

ほかの方法よりよかったことは、いつでもどこでもできて、比較的すぐに、心が不思議にも穏やかになることでした。例えば、電車を待つ間や、乗り物に乗りながら、そしてご飯を食べながら、仕事をしながら、さらには恐ろしさに震え、涙が出るときも、これらの四つの言葉を言えば、瞬間的にクリーニングが起こる感じがしました。

そんな渦中に、セミナーで直接ヒューレン博士に会えるわけですから、わたしがどんな心情だったかおわかりいただけると思います。何か、天からの啓示、「神聖なる存在(Divinity)」がくださった贈り物のようでした。そして主人を半強制的に背中を押して、セミナーに登録をさせることができ、いっしょに参加することになったので、とてもうれしかったのです。

ところがセミナー初日、主人はおもしろくないから2日目は参加しないと言いました。わたしは絶望感から、その夜はろくに眠ることもできず、2日目はセミナー会場に早く着いてしまいました。すると、ヒューレン博士が朝早くからセミナー会場にいらっしゃっていて、クリーニングをしていらっしゃいました。わたしはその前日、たくさんの人々の前で質問する勇気がなくて、どうしても聞くことができなかった、主人の健康にかかわる質問を思い切ってしまいました。ヒューレン博士は、親切に対応してくださいました。

わたしは、主人がここに来てクリーニングをしなければならないのに、来ないので、どうしたらいいかわからないと言いました。ヒューレン博士は「ご主人がクリーニングするのではなく、あなた自身がクリーニングすることです」とおっしゃいました。「ご主人は、あなたやそしてこの場所にいるわたしたちに、クリーニングする機会を提供してくれているだけです」と。

そして、わたしが主人に対して心配すればするほど、彼をもっと大変にすると博士は言います。だから、その記憶を手放しなさいと、おっしゃるのでした。記憶もそうしてくれるのを願っていると。わたしのなかの何が、主人にこのような問題を経験するようにさせているのかわからないですと言ったら、そんなことは当然わからないとおっしゃいました。

毎秒1100万ビットの情報が流れるのに、わたしたちの意識が把握するのはせいぜい15ビットだけなのです。なのに、どうしてそれを知ることができるでしょうかとおっしゃるのでした。ただただ、クリーニングだけをしなさいと、言われました。「主人が脊椎ガンだ」というわたしのなかの考えに対して、バツ（X）をして「Thank you」と言いなさいとおっしゃいました。

そして、その日のセミナーのなかで、ガンに関する話をたくさんしてくださり、参加者の方たちといっしょにクリーニングする機会をくださいました。ガンは、わたしたちの体のなかにある細胞内で、自分が誰なのか、自分の役目がなんなのかを喪失した細胞が起こすものだという興味深い内容も教えてくださいましたし、講義を聞いていらした方のなかで、ガンの経験談を話してくださる方もいらっしゃいました。その方はご自身がガンでしたが、当時のご自身を振り返りながら、自分が誰なのか、自分の役割はなんなのかを喪失した細胞のようだったと、ご自身について語りました。

セミナーが終わったあと、相変わらず理解できない部分もありましたが、とりあえずクリーニングを続けてさえいればいいという言葉が胸に残っていました。不安と恐怖ばかりの状態でした。

それで、朝から晩までクリーニングをして、ゴクゴクとブルー・ソーラー・ウォーターを飲みました。

そしてついに、結果といいましょうか、状況が変わる経験をしました。セミナーが終わって2週間後に、医者に主人の現状の説明を聞くために病院へ行きました。直ちに入院をして手術を受けなければならないかもしれないという、心の準備をして行きました。

ところが、なんと結果が最初に電話を受けたときと違って、深刻ではない状態になっていたのです。耳を疑う瞬間でした。

医者も初めの所見よりもう少し詳しい検査資料を検討し、同僚の医者たちと相談した結果、ガンではないという結論が出たのです。そして、定期的に検査をして腫瘍の大きさがもっと大きくなったとか、症状が現れなければ、手術や治療をする必要もないというのでした。

まさに地獄から天国になり、闇のなかから光が見える瞬間でした。感謝の念が押し寄せてきました。

この変化が、ホ・オポノポノのクリーニング効果のおかげなのかと考えてみましたが、そのときはまだ、にわかには信じられませんでした。ただ、主人がクリーニングしなければならないと思い、苦しくて心配ばかりしていた状態だったわたしが、わたし自身が100％責任を負ってクリーニングさえすればいいという確信を得て、苦しさや心配から解放されたことが、何よりも大きな収穫でした。自分自身がクリーニングをすることによってゼロの状態になると、わたしの周辺の人々にも役に立つことができるということは、言葉で表現することができない喜びでした。これ以上誰かに期待するとか、変わるように願ったりしなくてもよくなったといいましょうか、すべてのものに対して責任を完全にわたしが負うということは、人任せにしなければならないのと違って、あまりに簡単で楽なことでした。病院で医者から主人の腫瘍がガンではないといううれしい診断を聞いてから、安堵感を覚え、以前と同じ平穏な生活にまた戻ることができました。

ホ・オポノポノを通して、クリーニングがどのように結果を導くのか、具体的にはわかりませんが、セミナーに参加すればするほど、クリーニングの重要性や必要性を強く感じるようになりました。

しかしそんなとき、わたしの人生に再び大きな問題が起きました。

また主人でした。

やっと大きな心配事が終わったと思っていたら、主人の行動が急に変わり始めたのです。主人はいつもわたしといっしょにいるほど家庭に忠実で、心温かく、自分がする仕事に対する責任感が強い人です。お酒も飲まず、タバコも吸わず、わたしが嫌がるような行動は意識的にしないタイプでした。

そんな彼が、夜遅くまでどこにいるのか行方がわからなくなったり、朝早く帰ってきて、何時間も寝ないでむっくり起きて、また出掛けたりするようになり、理由を聞いてみてもちゃんと答えてくれず、むしろ自分を信じることができないのかと怒ることが多くなりました。

これ以上耐えることができなくなったわたしは、真剣に主人と向かい合って座り、話を交わしました。すると、主人は今度のことによって安堵感も覚えたが、いつかは自分が死ぬんだ……という「死」の現実に直面した衝撃が、もっと大きかったということを知りました。今までは10年後、20年後の将来のために、したいことを抑えて我慢してきたことが、死の現実に直面した瞬間、なんてむなしいことかと思えたのでした。

それとともに、彼の下した結論は、「したいことをして暮らそう」ということだったのです。人々に交わってお酒を飲んだり、ゲームのような賭博をしたり、行動範囲が今までとはまるで変わってしまいましたし、今までやりたかったのに我慢してきたぶんが一気に爆発し、自分でも制御がきかない状態になってしまったのでした。

もし、この時期にホ・オポノポノのクリーニング方法を知らなかったら、わたしたち夫婦も危機を迎えていたかもしれません。

わたしは、ひたすら自分自身に対して、クリーニングをし続けました。すると、クリーニングを通じて、主人を自分と同じ人間として理解する心が生まれてきました。わたしは、わたしがしたいことは彼が何と言おうとすべてやっていたのに、彼がしたいことがなんなのか、何を我慢しているのか知らなかったですし、知ろうともしませんでした。

主人はただ家庭の幸せのために、わたしが思う夫としての望ましい姿で、なんの問題も起こさず、わたしだけを慈しんでくれる存在だと思ってきたのでした。

とにかく、さまざまな感情や思いがわき起こってくるたびに、わたし自身をクリーニングしました。主人の行動に対する判断と、主人が自分の体をまともに見ていないという健康に対する心配、主人といっしょにいる時間が少なくなり、再生されるわたしの内面の寂しさの記憶などが、主にクリーニングの対象でした。

このすべての記憶に対するクリーニングが、どんな結果をもたらすか、ということに対する期待もありませんでした。ただ、クリーニングしていないと、わき起こってくる考えや感情がつらいので、クリーニングをしている時間がむしろハッピーな感じでした。

そんなクリーニングの結果なのでしょうか。わたし自身が、しばらくの間忘れて過ごし放棄状態にあった、わたしの世界をまた取り戻すようになりました。結婚してからいつも主人といっしょにいたので、その間会う機会がなかった友達と、またつきあうようになったり、旅行をしたり、ホ・オポノポノセミナーで韓国語通訳をするようになったり、マニュアルも翻訳するようになりました。

韓国でもセミナーが開かれるように、仕事を引き受ける機会も得ました。同時に、主人との関係でも、彼の自由を許容することができ、彼のどんな行動でもありのまま受け入れることができるような気がしました。行動範囲が変わっていただけで、主人はこれまでと変わらずわたしに愛を注いでくれていましたし、その間主人がそばにいて、わたしを常に守ってくれていたのだという、ありがたい気持ちがわいてきました。

体験談を書いているこの瞬間にも、クリーニングしなければならないたくさんの記憶がわき起こってきます。クリーニングをし続けることが、どれほど必要なことなのかを感じます。

数日前のことです。家に帰るために、主人といっしょに車に乗ったのですが、主人が突然ホ・オポノポノの話をし始めたのです。「ちょっと前までは、君がクリーニングの話をすると、真剣に聞かず、変な話をするなって思ったんだよ。でも、このごろは僕も一度やってみようかなという気になったよ。君といっしょにやったら、心が安らかになるような気がして……」わたしがしたことは、ひたすらわたし自身をクリーニングしたことだけで、前のように主人の背中を押して、これいいからぜひやってみて、という助言をしなかったにもかかわらず、彼が動いたのです。

一度、ヒューレン博士に、韓国でセミナーが開催されるよう何か手助けをしたいのですがと言ったことがあります。あのときに、ヒューレン博士がくださった言葉が印象的

Please forgive me.

でした。「あなたはあなた自身を助けてください」この言葉は、やはりわたしがすべきことは、わたし自身をクリーニングすること以外はないのだという意味に聞こえました。「わたしの浄化」それがすべてです。そして、あらゆることの解決であるという気がしました。主人との関係でも、こんな悟りを得ました。

「結局、クリーニングを通じて、彼を自由にしたのではなく、自分自身が自由になりました……」

すべての人々に感謝します。

わたしの平和
Young

I love you.

付録

●ブルー・ソーラー・ウォーター

ブルー・ソーラー・ウォーターは「奇跡の浄化水」です。飲むだけで潜在意識下で再生される情報を消去(デリート)できます。

リウマチ、筋肉の張り、痛み、憂鬱な気分などの情報のクリーニングに効果があります。

1日に2リットル程度飲むことをお勧めします。飲料用だけでなく、料理、お風呂、シャンプー、化粧水、洗濯、ペットや植物への水やりなどにも使えます。薄めて使ってもかまいません。

仕事をしているときに、コップに4分の3程度のブルー・ソーラー・ウォーターを入れて机の上においておくと、勝手にクリーニングをしてくれるので仕事がはかどります。また、パソコンの電磁波の影響もカットしてくれます。

手元にブルー・ソーラー・ウォーターがない場合は、心のなかでブルー・ソーラー・ウォーターを飲むところをイメージしてください。実際にブルー・ソーラー・ウォーターを飲んだ場合と同じ効果があります。

I'm sorry.

ブルー・ソーラー・ウォーターの作り方

①普通の水道水をブルーのガラス瓶のなかに注ぎ、蓋を閉めます

・蓋は金属のものは避けてください。プラスチックの蓋やサランラップでもかまいません

・ブルーのガラス瓶がない場合は、透明な瓶にブルーのセロファンを巻いたものでも代用できます

②15〜60分、日光にさらします

・曇りでも雨でもだいじょうぶです

・太陽光がない場合は、白熱灯で照らすのも同じ効果があります

③完成したブルー・ソーラー・ウォーターは、ペットボトルなどほかの容器に移し替えて使ってもかまいません。冷やしたり温めたりしてもＯＫです。水ですので、なるべく早く使い切ります

Thank you.

●アイスブルー

「アイスブルー」とは氷河の色のことを言います。この言葉は、霊的、物理的、経済的、物質的な痛みの問題、痛ましい虐待に関する記憶をクリーニングしてくれます。

そのほか、火山の噴火を抑制したり、過去にさかのぼって噴火で起きた死者や噴火に関するさまざまな問題の情報を消去してくれたりします。

「アイスブルー」と言って植物に触れると、痛みに関する情報のクリーニングが行われます。植物をイメージして心のなかで「アイスブルー」と言うだけでも、植物を持っているだけでもＯＫです。

情報のクリーニングに効果のある植物

黄色いイチョウの葉……肝臓の毒素の情報
柿の葉……生殖系機能の疾患や婦人病の情報
緑のカエデの葉……心臓や呼吸器系の問題の情報
ピンクのユリ、カサブランカ……死にまつわる痛みや苦しみ、恐れの情報
ボトルパーム（とっくり椰子）……経済や金銭の問題の情報

I'm sorry.

●ハー（HA）呼吸法

「ハー（HA）呼吸法」とは聖なるエネルギーを吸い込む呼吸法のことです。

HAには生命エネルギーを活性化する働きがあります。HAという「命（息の力）」を呼び起こす呼吸法を実践していくことで、ホ・オポノポノのプロセスをはじめとして、瞑想などをする準備が整います。

①準備

・背筋を伸ばした状態でイスに座ります
・両足を床にしっかりつけます
・両手の親指、人差し指、中指をくっつけて交差させ∞の形にします
・ひざの上に手を乗せます
・息は鼻から吸って鼻から吐きます

②ステップ1

ゆっくりと心のなかで1から7まで数えながら息（神聖な命の源）を吸います。

Thank you.

※細胞、組織、血管、筋肉、骨など体内のすべての原子一つひとつを活性化させます

③ステップ2

7秒間呼吸を止めます。

※体内の科学反応と新陳代謝をゆるやかにします。細胞の一つひとつを再活性させると同時に、息の「吸入と吐き出し」という二つのパワフルな力を交互に受け渡す〝衝撃〟から身体を守ります

④ステップ3

7秒間かけて息を吐きます。

※身体のなかから不純物や毒、障害など悪いものすべて吐き出します

⑤ステップ4

再度7秒間呼吸を止めます。

⑥②〜⑤を7回繰り返します。

※ステップ1からステップ4までを1ラウンドとして、これを7回繰り返します

ハー（HA）呼吸法

①背筋を伸ばしてイスに座る

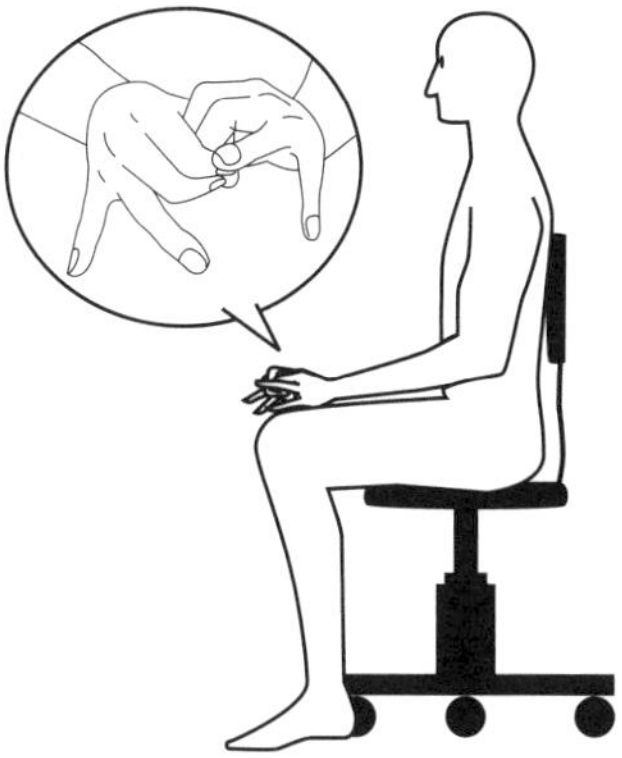

②7秒間で息を鼻から吸う

③7秒間息を止める

④7秒間で鼻から息を吐く。
そして7秒間息を止める

瞑想

瞑想の方法

①インナーチャイルドとつながり、これから瞑想をすることを伝えます
②ハー（ＨＡ）呼吸法を行います
③瞑想に入ります
④頭に浮かんでくる情報（過去の記憶）を消去（デリート）します

※注意

・１日３回までが限度です
・最低５分は瞑想を続けます
・瞑想前の１時間は食事を控えます
・ほかの瞑想法、ＢＧＭ、祈りとの併用はしないでください
・疲労時の瞑想は避けます
・瞑想は座った状態で、背骨と頭を直立させて行います
・正式な瞑想法については、ホ・オポノポノのクラスに参加して習得してください

I'm sorry.

●キャンセル「X」

「ごめんなさい」「許してください」「ありがとう」「愛しています」のホ・オポノポノの四つの言葉を心のなかで唱えるのと同じ効果があります。

何か問題が起きているときに、自分の潜在意識のなかにある問題を作っている情報（過去の記憶）に対して「わたしはエックスを付けます」と言って、心のなかで「X」の形をイメージします。

これで、原因となっている情報が何かわからなくても、問題を作っている情報を消去（デリート）してくれます。

「X」は中毒、虐待、破壊に関する情報を消去してくれます。そして、思考や経験をそれぞれの正しい時間や場所に戻してくれる働きがあり、心の重い負担となる感情から解放させてくれます。

「X」はわたしたちの心を安定させ、クリーニングをすることを容易にし、そのほかのクリーニングツールの機能をアップさせてくれます。

Thank you.

消しゴムつき鉛筆

消しゴムがついた鉛筆ならなんでもかまいません。ただし、鉛筆の芯は削らないでください。つまり、書くことができない状態にしておきます。

心のなかで「Dewdrop（露ひとしずく）」と言います。すると、消しゴムつき鉛筆が活性化し、クリーニングツールとなります。

消しゴムの先で問題を消去するイメージをすることで、自分の潜在意識のなかにある問題を起こしている情報を消去します。

例えば、文章を書き終わったあとに消しゴムつき鉛筆で一度クリーニングします。すると次にまた書き始めるときには、ゼロからインスピレーションで書くことができるのです。

I'm sorry.

日本独自のクリーニングツール

①イチョウの葉

黄色いイチョウの葉を持ったり、イメージしたりするだけで、肝臓に関係する病気すべての情報を消去します。麻薬中毒、タバコ中毒、アルコール中毒の情報もすべて消去します。

②柿の葉

柿の葉は生殖系機能の疾患、婦人病などのすべての情報を消去します。

③カエデの葉

緑のカエデの葉は、呼吸器系の疾患、心臓病などのすべての情報を消去します。なお、

Thank you.

Please forgive me.

赤く紅葉したものでなく、緑色のカエデであることが必要です。

I love you.

●インナーチャイルドのケア

ホ・オポノポノで言う「インナーチャイルド」とは、自分の子ども時代の記憶のことではありません。地球の誕生から今日までですべての生命体が経験した記憶を持っている潜在意識そのもののことです。

インナーチャイルドは、本来は天使のような存在なのですが、ケアをしてあげないと、人間関係の苦悩や傷跡、痛手など、ネガティブな記憶を増幅してしまうことがあります。

ですからインナーチャイルドには、自分の愛くるしい子どものように優しく愛情を注いであげるといいのです。

そうすれば、インナーチャイルドはさまざまな面で自分に協力してくれます。例えば、インナーチャイルドに「ごめんなさい」「許してください」「ありがとう」「愛しています」という方法を教えるのです。そうすれば自分の代わりにクリーニングをしてくれます。

コンピューターではソフトウェアをダウンロードしてプログラムを設定します。それと同じように、わたしたちのインナーチャイルドに、このやり方を自動的に覚えてもらうのです。

例えば、クリーニングするために「愛しています」「ありがとう」という言葉を言いますが、何回も何回も言っているとインナーチャイルドは覚えてくれ、自動的にできるようになるのです。

でも、何かトラブルが発生して「あいつが悪い」「この野郎！」とカッとなってしまったら、インナーチャイルドはどの情報をどのように処理していいのかわからなくなってしまいます。コンピューターにたとえると、マッキントッシュにウインドウズのソフトウェアをインストールするようなものです。インナーチャイルドはもう大混乱です。

ですから、やるということを決めたらずっとやり続けることが大切なのです。すると、インナーチャイルドも自然にそれに従ってくれるのです。

インナーチャイルドのケアの方法

①インナーチャイルドに触ってもいいか尋ね、許可をもらいます
②インナーチャイルドの頭を優しくなでます。常に気にかけて大切に慈しむようにします
③優しくハグしてあげましょう。強くハグすると怖がってしまいます
④そっと手をとって、やさしくなでてあげます
⑤両肩を抱きしめて、しっかりと感情を込めて、惜しみない愛で満たしてあげます

I'm sorry.

付録Ⅱ　ホ・オポノポノ用語集

・SITH

ハワイの伝統的な問題解決法「ホ・オポノポノ」をハワイの人間州宝である故モナ・ナラマク・シメオナ女史が、現代社会で活用できるよう新しく開発したもの。正式には「セルフ・アイデンティティ・ホ・オポノポノ（Self Identity Through Ho'oponopono）」という。

・神聖なる存在（Divinity）

「神聖なる知能（Divine intelligence）」「聖なる知性」ともいう。神であり、命の源でもある。潜在意識の記憶を消去して、インスピレーションを下ろす。

・潜在意識

インナーチャイルド（ウニヒピリ）。自分自身の記憶だけでなく、宇宙の誕生から今日までのすべての生命体の記憶が蓄積されたもの。1秒間に1100万ビットの情報が立ち上がっている。

Thank you.

・**顕在意識**

ウハネ（母）。わたしたちが日常知覚している、気づくことができる意識。1秒間に15〜20ビットの情報が立ち上がっている。

・**超意識**

アウマクア（父）。「神聖なる存在（Divinity）」と一体化して動いていている。潜在意識からくる情報や記憶消去のリクエストを「神聖なる存在（Divinity）」に整えて取り次ぐ。

・**情報**

まったく新しい情報と古い情報の2種類の情報がある。まったく新しい情報とは「神聖なる存在（Divinity）」からやってくるインスピレーションを指す。古い情報とは潜在意識のなかにある過去の記憶を指す。情報は感情、思考などの階層になっている。

・**クリーニングする**

清める。浄化する。クリーニングする対象はすべて情報。

・デリートする

消去する。デリートする対象はすべて情報。

・ゼロの状態

空。悟りの状態。宇宙のビッグバン以前の宇宙の始まりの状態のこと。まだ何もない状態。すべてが完ぺきである状態＝無限。

・インスピレーション

ゼロの状態のときに「神聖なる存在（Divinity）」からやってくるまったく新しい情報のこと。知恵、霊力ともいう。

・トランスミューテーション

あらゆることを覆す本質的な大転換のこと。ホ・オポノポノではスピリチュアル（霊的）、メンタル（精神的）、フィジカル（物質的）の三つの面での転換が同時に起きる。

・**知識**

過去の記憶の再生からくる情報が集積されたもの。古い情報。

・**知恵**

「神聖なる存在（Divinity）」からやってくる新しい情報。インスピレーション。ゼロからくる情報のこと。

・**明晰性（clarity）**

クリアな状態であること。「ゼロ」の状態にいること。

ホ・オポノポノ体験談8

生死の境でインナーチャイルドが教えてくれたこと

株式会社テレナコーポレーション社長　河合政実

わたしは、ずっとインナーチャイルドとつながろうと努力をしていたのですが、なかなかつながることができませんでした。なぜつながることができないのかと悩んでいたのですが、それを解決してくれたのがわたしの病気です。

忘れもしない２００８年12月29日。心臓に激しい痛みを感じ、わたしは横浜市内の心臓病の専門病院で緊急検査を受けました。結果は、心臓の血管のなんと６本がつまりかけており、重症多枝急性心筋梗塞であるとの診断を受けました。翌日も仕事があり「明日仕事が終わったら来ます」と言って帰ろうとするわたしは、医師から「命の保証はない」と言われ、即入院・即手術となり、ＩＣＵ（集中治療室）に運ばれてしまいました。

医師団の話し合いの結果、６個所におよぶ血管を人工的に広げるステントの注入は断念し、血管のバイパス手術を行うことになりました。ところが年末ということで、心臓外科の先生がそろいません。それで年明けの１月６日に手術を行うこととなりました。手術までの１週間の間、わたしは、自分の心臓に向かって心のなかでずっと言い続けていました。「今まで無理をさせてごめんなさい。放っておいたことを許してください。これまで一生懸命に動いてくれてありがとう。今もこれからもずっと慈しみ大切にするよ」と……。

6日に行った8時間にわたる心臓バイパス手術は無事成功し、翌日の夜にわたしは麻酔から目が覚めましたが、今思うとこの麻酔から覚めた7日が一番危険な状態であったのではないかと思います。実は、心臓が痛くなり、それがパニックとなって過呼吸に陥ってしまったのです。意識が朦朧とするなかで、何度か夢のようなものを見ました。そこで、わたしは初めて自分のインナーチャイルドと出会ったのです。

インナーチャイルドは、わたしが想像していたようなかわいらしい子どもの顔ではありませんでした。確かに子どもなのですが、全身が岩でできているのです。顔はまるで大魔神のようで、怒った顔をしていました、それなのに、どこか物悲しく寂しい顔をしているのです。

わたしは、インナーチャイルドに向かって言いました。「僕はまだ生きたい。やりたいことがたくさんある。どうか助けてください」と……。インナーチャイルドは「では、もう一度だけチャンスをやる」とわたしに答えました。

わたしが目覚めると、看護師さんが「河合さん、深呼吸しましょう。呼吸を整えましょう」

と言ってくれて、わたしといっしょに深呼吸する練習を始めました。これが転機となって、わたしの病状は回復し始めました。心臓の痛みもなくなり、翌日の夜には食事ができるようになりました。そして、手術から3週間後、わたしは無事に退院をすることができたのです。

わたしの人生観も変わりました。これからは本当に自分がやりたいことだけをして生きることを決意したのです。

今では、わたしのインナーチャイルドは、かわいらしい男の子の顔になっています。わたしが生き方を変えたことをとても喜んでくれているようです。

自分の身体（心臓）、自分の心（インナーチャイルド）、自分の家族はすべてつながっていました。そのすべてをないがしろにしてきたことの結果が今回の入院でした。わたしのインナーチャイルドは、精神的にも肉体的にも、自分自身を愛すること、慈しむことの大切さを教えてくれたのです。

そして不思議なことに、わたしが入院中に、わたしの会社の受注が大きく上昇し始めました。まず自分、そして家族を大切にしようという決意が、会社の業績を向上させる結果となったのです。

おわりに

ホ・オポノポノは、わたしの人生をまったく変えてしまった。

それまでのわたしは、まるで人生を歩く夢遊病者のようだった。経営者だった父の死により24歳で跡を継いだわたしは、ひたすら父を超えるべく売上を伸ばすことだけを考えて会社を経営する。そこで働く生身の社員がいることを傲慢にも忘れて、である。

そして、30歳で当然のことながら会社経営で壁に阻まれると、今度は「幸せとは何か」を見つけるべく真理の道の探求を始める。

昨年7月、ホ・オポノポノと出会い、わたしは愕然とした。いったい過去20年間の探求はなんだったのだろうか？　こんな簡単な方法があったとは。ものすごい衝撃だった。

そして、わたしは気づいた。探していた「幸せ」とは自分のなかにあったのだ。わたしは「幸せの青い鳥」を探していたのだ。しかし、それはブッダが2500年前に「色即是空、空即是色」と般若心経のなかで説いたとおり、自分のなかにあったのである。

さらに宇宙はわたしに追い討ちをかける。重度多枝急性心筋梗塞にかかり、緊急入院。生まれて初めて遺書を書いた。8時間に及ぶ心臓バイパス手術により、九死に一生を得る。

心筋梗塞はわたしに自分自身と家族を愛することの大切さを教えてくれたのだ。

今、わたしは本当に自分がしたいことしかしないと決めた。そして今、誰かに「人生を成功させる秘訣とは？」と尋ねられたら、「自分を愛すること」だと即答するだろう。

最後に、次の方たちに心から御礼を申しあげ、筆をおきたい。この本を書かせていただくことを許可してくださった敬愛するイハレアカラ・ヒューレン博士、ホ・オポノポノアジア代表で古くから友人の平良・プア・ベティーさん、ソフトバンク クリエイティブの編集者で友人の錦織 新さん、コラボセミナーを開催しているヒーラーで友人の森めぐみさん、弟のような関係ながらいつもサポートしてくれている三洋装備の菅生龍太郎さん、神奈川県立循環器呼吸器病センターの頼りがいのある優秀な先生方と親切で美人ぞろいの看護師の皆さん、入院中に本書の口述筆記をしてくれたスタッフの神山友紀さん、そして最愛の妻の弘子、愛する二人の子どもの祐以子、智崇、重度の身障者でありながら我が家の守り神となってくれている兄の茂巳に対してである。

この本がみなさんのお役に立つことを心より祈りつつ……。

２００９年4月7日

Peace of I

河合政実

イハレアカラ　ヒューレン博士

(Ihaleakala Hew Len, Ph.D.)


現代におけるホ・オポノポノの第一人者。ハワイの伝統的な問題解決法「ホ・オポノポノ」に、故モナ・ナラマク・シメオナ女史がインスピレーションに基づいて発展を加えた「セルフ・アイデンティティ・ホ・オポノポノ」(SITH)を継承する。

発展的な精神医学の研究家・トレーナーでもあり、触法精神障害者および発達障害者とその家族とのワーク経験でも知られる。

国連、ユネスコをはじめ、世界平和協議会、ハワイ教育者協会などさまざまな学会グループとともに、何年にもわたりホ・オポオポノを講演し、幾千もの人々にトレーニング活動を行っている。

IZI LLC 本講師。

著書に『ハワイの秘法』(PHP 研究所)、『みんなが幸せになるホ・オポノポノ』(徳間書店)がある。

http://blog.hooponopono-asia.org/ (日本)

http://www.hooponoponotheamericas.org/ (USA)

河合政実

(かわい・まさみ)

1959 年横浜生まれ。慶應義塾大学経済学部卒業後、大手銀行に勤務。
経営者だった父の死去により 24 歳で経営者となる。企業経営のかたわら、真理の道の探求を行い、数多くの自己啓発セミナーの研究・開発に携わる。
株式会社テレナコーポレーション社長、株式会社ネットビジネス研究所社長、NGOハンガー・フリー・ワールド理事長、mixi「ホ・オポノポノ研究会」「引き寄せの法則研究会」管理人。
http://oponopono.blog64.fc2.com/

豊《ゆた》かに成功《せいこう》するホ・オポノポノ
愛《あい》と感謝《かんしゃ》のパワーがもたらすビジネスの大転換《だいてんかん》

2009 年 5 月 8 日　初版第 1 刷発行

著　者 ―――― イハレアカラ・ヒューレン　河合政実《かわいまさみ》
発行者 ―――― 新田光敏
発行所 ―――― ソフトバンク クリエイティブ株式会社
〒107-0052　東京都港区赤坂 4-13-13
TEL　03-5549-1201 (営業部)
装幀・本文デザイン ―― 斉藤よしのぶ＋長田知華
撮　影 ―――― 山崎兼慈
DTP ―――― アーティザンカンパニー株式会社
印刷・製本 ――― 中央精版印刷株式会社

落丁本、乱丁本は小社営業部にてお取り替えいたします。

定価は、カバーに記載されています。

本書の内容に関するご質問等は、小社学芸書籍編集部まで必ず書面にてお願いいたします。

ISBN 978-4-7973-5280-1